U0102308

中國美術全集

青銅器三

全國百佳圖书出版單位
ARTTIME 時代出版
時代出版傳媒股份有限公司
黄　山　書　社

目　録

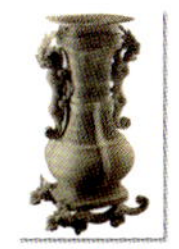

東周（公元前七七一年至公元前二二一年）

頁碼	名稱	時代	發現地	收藏地
581	秦公鼎	東周	甘肅禮縣大堡子山秦公大墓	上海博物館
582	錯金銀雲紋鼎	東周	陝西咸陽市渭城區戚夫人墓	陝西省咸陽博物館
583	竊曲紋鼎	東周	陝西隴縣邊家莊	陝西省文物考古研究所寶鷄工作站
583	秦公簋	東周	傳甘肅天水市西南鄉	中國國家博物館
584	秦公簋	東周	甘肅禮縣大堡子山秦公大墓	上海博物館
585	獸目交連紋方甗	東周	陝西隴縣邊家莊	陝西省文物考古研究所寶鷄工作站
585	腰檐甗	東周	陝西鳳翔縣高王寺窖藏	陝西省鳳翔縣文化館
586	鑲嵌雲紋盛	東周	陝西米脂縣官莊村墓葬	陝西省米脂縣博物館
586	交龍紋方壺	東周	陝西隴縣邊家莊	陝西省文物考古研究所寶鷄工作站
587	鑲嵌宴樂紋壺	東周	陝西鳳翔縣高王寺窖藏	陝西省鳳翔縣文化館
587	曲頸壺	東周	陝西米脂縣官莊	陝西省米脂縣博物館
588	鳳鳥紋盉	東周	陝西隴縣邊家莊	陝西省文物考古研究所寶鷄工作站
588	翼獸盉	東周	甘肅涇川縣	甘肅省博物館
589	秦公鐘	東周	陝西寶鷄市太公廟窖藏	陝西省寶鷄市青銅器博物館
590	秦公镈	東周	陝西寶鷄市太公廟	陝西省寶鷄市青銅器博物館
591	捲龍紋鈴	東周	陝西鳳翔縣大辛村徵集	陝西省鳳翔縣文化館
591	秦子戈	東周		故宫博物院
592	八年相邦建信君鈹	東周		故宫博物院
592	獸首轄竊曲紋軎	東周	甘肅禮縣徵集	甘肅省博物館
593	鼎形燈	東周	甘肅平凉市廟莊	甘肅省博物館
594	錯銀帶鈎	東周		甘肅省博物館
594	走獸紋鏡	東周	陝西鳳翔縣雍城	陝西省鳳翔縣博物館
595	四鳳紋鏡	東周	陝西西安市	陝西歷史博物館
595	蟠虺紋曲尺形箍頭	東周	陝西鳳翔縣姚家崗窖藏	陝西歷史博物館
596	蟠虺紋長方形箍頭	東周	陝西鳳翔縣姚家崗窖藏	陝西歷史博物館
596	蟠虺紋鼎	東周	河南新鄭市李家樓	河南博物院
597	蟠虺紋鼎	東周	河南新鄭市金城路	河南博物院
597	蟠虺紋蓋鼎	東周	河南新鄭市李家樓	河南博物院

頁碼	名稱	時代	發現地	收藏地
598	鏤空蟠虺紋鼎	東周	山西新絳縣柳泉墓地采集	山西省考古研究所
598	蟠虺紋平蓋鼎	東周	山西聞喜縣上郭村采集	山西省考古研究所
599	夔龍鳳紋鼎	東周	山西太原市金勝村	山西省考古研究所
599	蟠虺紋鼎	東周	山西侯馬市上馬村墓地	山西省考古研究所
600	蟠虺紋帶蓋鼎	東周		北京市保利藝術博物館
601	交龍紋鼎	東周	河南洛陽市	河南省洛陽博物館
601	雲雷紋蓋鼎	東周	河南輝縣市	河南博物院
602	牛頭龍紋鼎	東周	山西太原市金勝村	山西省考古研究所
602	蟠龍紋蓋鼎	東周	山西忻州市忻口村	山西省忻州市博物館
603	交龍紋蓋鼎	東周	河北平山縣三汲鄉訪駕莊	河北省博物館
603	綯索紋鼎	東周	山西忻州市上社村	山西省忻州市博物館
604	中山王鐵足蓋鼎	東周	河北平山縣1號中山王墓	河北省博物館
605	梁十九年亡智蓋鼎	東周		上海博物館
605	韓氏提鏈蓋鼎	東周		上海博物館
606	團花紋蓋鼎	東周		故宫博物院
606	重環紋匜形鼎	東周		北京大學賽克勒考古與藝術博物館
607	帶蓋匜形鼎	東周	山西聞喜縣上郭村	山西省考古研究所
607	獸鈕小匜鼎	東周	山西侯馬市上馬村墓地	山西博物院
608	細孔流匜鼎	東周	河北平山縣1號中山王墓	河北省文物研究所
608	召伯鬲	東周		北京大學賽克勒考古與藝術博物館
609	附耳素面鬲	東周	河南三門峽市上村嶺虢國墓地	河南省文物考古研究所
609	帶蓋素面鬲	東周	河北平山縣	河北省文物研究所
610	蟠虺紋鼎形鬲	東周	山西渾源縣李峪村	上海博物館
610	蟠龍紋鼎形鬲	東周		美國華盛頓賽克勒美術館
611	蟠龍紋鬲	東周	山西太原市金勝村大墓	山西省考古研究所
611	綯索紋鬲形敦	東周		北京市保利藝術博物館
612	蟠龍紋分體甗	東周	山西太原市金勝村大墓	山西省考古研究所
613	蟠虺紋分體甗	東周	山西昔陽縣閻莊民安村	山西省昔陽縣博物館
613	弦紋甗	東周	河北平山縣	河北省文物研究所
614	夔龍紋方甗	東周	河南三門峽市上村嶺虢國墓地	中國國家博物館
614	董矩方甗	東周	山西聞喜縣上郭村	山西省考古研究所
615	虎形竈	東周	山西太原市金勝村大墓	山西省考古研究所
616	竊曲紋簋	東周	河南新鄭市金城路	河南博物院
616	竊曲紋簋	東周	河南輝縣市	河南博物院

頁碼	名稱	時代	發現地	收藏地
617	蟠龍紋方座簋	東周	河南輝縣市	河南博物院
617	鳥紋方簋	東周	河南洛陽市	河南省洛陽博物館
618	商丘叔鍸	東周		上海博物館
618	蟠虺紋鍸	東周	山西太原市金勝村大墓	山西省考古研究所
619	環鈕鍸	東周	河北平山縣1號中山王墓	河北省文物研究所
619	夔鳳紋豆	東周	山西太原市金勝村大墓	山西省考古研究所
620	平盤蓋豆	東周	河北平山縣1號中山王墓	河北省文物研究所
620	蟠虺紋豆	東周	山西太原市金勝村大墓	山西省考古研究所
621	四虎鋬蓋豆	東周	山西渾源縣李峪村	美國紐約大都會博物館
622	變形蟠龍紋豆	東周	河南輝縣市	河南博物院
622	錯金竊曲紋蓋豆	東周	山西長治市分水嶺126號墓	山西博物院
623	菱格紋蓋豆	東周	山西原平市練家崗	山西省原平市博物館
623	嵌錯狩獵紋豆	東周	山西渾源縣李峪村	上海博物館
624	方座蓋豆	東周	河北平山縣1號中山王墓	河北省文物研究所
624	蟠虺紋方座豆	東周	山西太原市金勝村大墓	山西省考古研究所
625	獸座豆	東周	河南三門峽市上村嶺虢國墓地	中國國家博物館
626	鑲嵌緑松石雲紋方蓋豆	東周	河南汲縣山彪鎮1號墓	河南博物院
626	蟠虺紋敦	東周	河南輝縣市	河南博物院
627	鳥尊	東周	山西太原市金勝村大墓	山西省考古研究所
628	子乍弄鳥尊	東周	傳山西太原市	美國華盛頓弗利爾美術館
629	犧尊	東周	山西渾源縣李峪村	上海博物館
630	虎尊	東周	河南新鄭市李家樓	臺灣省“臺北國立歷史博物館”
630	錯金銀貘尊	東周	江蘇漣水縣三里墩漢墓	南京博物院
631	鑲金錯銀貘尊	東周	河北平山縣1號中山王墓	河北省文物研究所
631	蟠龍紋罍	東周		美國舊金山亞洲藝術博物館
632	蟠龍紋罍	東周	河南新鄭市李家樓大墓	中國國家博物館
633	夔鳳紋罍	東周	山西太原市金勝村大墓	山西省考古研究所
633	繩絡紋罍	東周	山西長治市分水嶺	山西博物院
634	龍耳繩絡紋罍	東周	河南輝縣市	河南博物院
634	錯銅勾連雷紋罍	東周		北京市保利藝術博物館
635	錯金蟠虺紋方罍	東周	河南三門峽市上村嶺	河南博物院
636	垂鱗紋貫耳壺	東周		美國華盛頓賽克勒美術館
636	鳥獸龍紋壺	東周	山西渾源縣李峪村	上海博物館
637	絢索龍紋壺	東周	傳山西渾源縣李峪村	美國華盛頓弗利爾美術館

頁碼	名稱	時代	發現地	收藏地
638	虎耳蟠龍紋壺	東周		北京市保利藝術博物館
638	嵌錯狩獵紋龍耳壺	東周		美國舊金山亞洲藝術博物館
639	令狐君嗣子壺	東周	河南洛陽市金村	中國國家博物館
639	蟠龍紋壺	東周	山西長子縣牛家坡	山西省長子縣博物館
640	嵌錯紅銅龍鳳紋壺	東周		美國舊金山亞洲藝術博物館
640	狩獵紋壺	東周	河南洛陽市西工中州路	河南省洛陽博物館
641	嵌錯紅銅鳥獸紋壺	東周		北京市保利藝術博物館
641	絡帶狩獵紋壺	東周		美國舊金山亞洲藝術博物館
642	蟠龍紋貫耳鉀	東周	河南輝縣市琉璃閣	河南博物院
642	嵌紅銅鳥獸壺	東周		故宮博物院
643	夔龍鳳紋壺	東周	山西潞城市潞河墓地	山西省考古研究所
643	嵌錯走獸紋壺	東周	山西渾源縣李峪村	中國國家博物館
644	雲雷紋提梁壺	東周	河南輝縣市固圍村	中國社會科學院考古研究所
644	中山嗣王壺	東周	河北平山縣1號中山王墓	河北省文物研究所
645	嵌錯射儀攻戰紋壺	東周		故宮博物院
646	錯金銀鳥紋壺	東周		美國華盛頓賽克勒美術館
646	提鏈圓壺	東周	河北平山縣1號中山王墓	河北省文物研究所
647	帶流壺	東周		故宮博物院
647	嵌錯紅銅龍紋壺	東周	河南輝縣市琉璃閣	河南博物院
648	魚形壺	東周		故宮博物院
648	蟠虺紋匏壺	東周		美國華盛頓賽克勒美術館
649	蟠虺紋匏壺	東周	山西太原市金勝村大墓	山西省考古研究所
650	鳳鳥紋橢方壺	東周	河南三門峽市上村嶺虢國墓地	河南省文物考古研究所
650	交龍紋方壺	東周		美國華盛頓賽克勒美術館
651	蓮鶴方壺	東周	河南新鄭市李家樓	故宮博物院
652	夔龍紋方壺	東周	山西侯馬市上馬村13號墓	中國國家博物館
653	龍耳虎足方壺	東周	河南新鄭市李家樓	臺灣省“臺北國立歷史博物館”
654	龍耳橢方壺	東周	山西太原市金勝村大墓	山西省考古研究所
654	鳥紋方壺	東周	河南輝縣市	河南博物院
655	狩獵紋方壺	東周		美國華盛頓弗利爾美術館
655	嵌錯斜格蟠龍紋方壺	東周	河南陝縣後川村	中國國家博物館
656	嵌錯勾連雲雷紋方壺	東周	河北平山縣1號中山王墓	河北省文物研究所
656	蟠螭紋方壺	東周		北京市保利藝術博物館
657	中山王厝方壺	東周	河北平山縣1號中山王墓	河北省文物研究所

頁碼	名稱	時代	發現地	收藏地
658	夔形龍紋榼	東周		美國舊金山亞洲藝術博物館
658	魏公榼	東周		故宫博物院
659	嵌錯紅銅蟠螭紋榼	東周		北京市保利藝術博物館
659	桃形飾榼	東周	河北平山縣1號中山王墓	河北省文物研究所
660	錯銀勾連雲紋榼	東周		美國華盛頓弗利爾美術館
661	嵌錯圖案高柄方壺	東周	山西太原市金勝村大墓	山西省考古研究所
661	蟠虺紋鈉	東周	山西太原市金勝村大墓	山西省考古研究所
662	刻鏤射獵畫像鈉	東周		上海博物館
662	鳥形勺	東周		故宫博物院
663	夔龍紋匜	東周	山西侯馬市上馬村墓地	山西省考古研究所
663	交龍紋匜	東周		美國舊金山亞洲藝術博物館
664	虎頭匜	東周	山西太原市金勝村	山西省考古研究所
664	綫刻紋匜	東周	山西太原市金勝村	山西省考古研究所
665	獸形弦紋盉	東周	山西長治市分水嶺270號墓	山西博物院
665	龍首提梁盉	東周		北京市保利藝術博物館
666	鳳首提梁盉	東周	河北平山縣1號中山王墓	河北省文物研究所
666	獸耳盤	東周	山西聞喜縣上郭村采集	山西省考古研究所
667	魚紋盤	東周	河南三門峽市上村嶺虢國墓地	中國國家博物館
667	鄭伯盤	東周		上海博物館
668	毛叔盤	東周		故宫博物院
668	夔龍紋獸足盤	東周		北京市保利藝術博物館
669	犧背立人擎盤	東周	山西長治市分水嶺	山西博物院
670	龜魚紋方盤	東周		故宫博物院
672	獸足方盤	東周	山西潞城市潞河墓地	山西省考古研究所
672	蟠龍紋鑑	東周	山西侯馬市上馬村墓地13號墓	山西省考古研究所
673	狩獵紋鑑	東周		美國華盛頓弗利爾美術館
674	智君子鑑	東周		美國華盛頓弗利爾美術館
674	錯金龍耳方鑑	東周	河南三門峽市上村嶺	河南博物院
675	龍紋鎣	東周	山西聞喜縣上郭村27號墓	山西省考古研究所
675	梁姬罐	東周	河南三門峽市上村嶺虢國墓地2012號墓	河南省文物考古研究所
676	楊姞方座筒形器	東周	山西曲沃縣北趙村晋侯墓地63號墓	山西省考古研究所
677	犀足鋞	東周	河北平山縣1號中山王墓	河北省文物研究所
678	刖人守門銅挽車	東周	山西聞喜縣上郭村	山西考古研究所
678	人形足龍虎方盒	東周	山西聞喜縣上郭村	山西博物院

頁碼	名稱	時代	發現地	收藏地
679	人形足攀龍方盒	東周	山西曲沃縣北趙村晉侯墓地63號墓	山西省考古研究所
679	錯金銀鳥紋虎子	東周		故宮博物院
680	錯金銀四龍四鳳方案	東周	河北平山縣1號中山王墓	河北省文物研究所
681	獸面紋甬鐘	東周	山西潞城市潞河墓地	山西省考古研究所
681	編鐘	東周	河北平山縣	河北省文物研究所
682	三角雲紋鈕鐘	東周	河南新鄭市金城路	河南博物院
682	獸目交連紋編鎛	東周	河南新鄭市金城路	河南博物院
684	𩐋鎛	東周	山西萬榮縣廟前村	中國國家博物館
684	蟠龍紋編鎛	東周	山西太原市金勝村	山西省考古研究所
685	夔龍鳳紋編鎛	東周	山西太原市金勝村	山西省考古研究所
685	對蓋鈕鎛	東周		北京市保利藝術博物館
686	羽翅紋鎛	東周	山西潞城市潞河墓地	山西省考古研究所
686	獸首編磬	東周		故宮博物院
687	蟠螭紋鼓座	東周		北京市保利藝術博物館
688	中山侯鉞	東周	河北平山縣	河北省文物研究所
688	王子玏戈	東周	山西萬榮縣後土廟村	山西博物院
689	虎鷹搏擊戈	東周	山西太原市金勝村	山西省考古研究所
689	輪内戈	東周		故宮博物院
690	少虡劍	東周	山西渾源縣李峪村	故宮博物院
690	繁陽劍	東周	河南洛陽市凱旋路	河南省洛陽文物工作隊
691	錯銀承弓器	東周	山西永濟市薛家崖	山西博物院
691	韓將庶虎節	東周		中國國家博物館
692	夔鳳紋當盧	東周	山西聞喜縣上郭村	山西省考古研究所
692	錯金銀獸首軏飾	東周	河南輝縣市固圍村	中國國家博物館
693	鴨形帶鈎	東周	山西榆次市猫兒嶺	山西省榆次市文物管理所
693	龍形帶鈎	東周	山西榆次市猫兒嶺	山西省榆次市文物管理所
694	鎏金獸紋帶鈎	東周	河北平山縣	河北省文物研究所
694	鑲嵌幾何紋帶鈎	東周	山西榆次市猫兒嶺	山西省榆次市文物管理所
695	鎏銀螭首帶鈎	東周		故宮博物院
695	錯金幾何紋帶鈎	東周		故宮博物院
696	蛙鈕螭紋陽燧	東周		故宮博物院
696	虎鳥紋陽燧	東周	河南三門峽市上村嶺虢國墓地	中國國家博物館
697	鳥獸紋鏡	東周	河南三門峽市上村嶺	中國國家博物館
697	變形龍紋鏡	東周	山西長治市	山西博物院

頁碼	名稱	時代	發現地	收藏地
698	鑲嵌玉琉璃鏡	東周	傳河南洛陽市金村	美國哈佛大學福格美術館
698	鑲嵌緑松石透雕幾何紋鏡	東周		日本私人處
699	錯金銀龍紋鏡	東周	傳河南洛陽市金村	日本東京永清文庫
699	鎏金蟠螭紋鏡	東周		北京市保利藝術博物館
700	四虎紋鏡	東周		上海博物館
700	透雕龍紋方鏡	東周	河南洛陽市西工區	河南省洛陽博物館
701	鳥柱盆	東周	河北平山縣	河北省文物研究所
702	銀首人俑燈	東周	河北平山縣	河北省文物研究所
703	十五連盞燈	東周	河北平山縣	河北省文物研究所
704	跽坐人形燈	東周	河南三門峽市上村嶺	河南博物院
705	蟠龍紋氈帳頂	東周	山西原平市東社鎮	山西省原平市博物館
705	獸形器座	東周	河南新鄭市李家樓	臺灣省“臺北國立歷史博物館”
706	山字形器	東周	河北平山縣	河北省文物研究所
707	人物立像	東周	湖南洛陽市金村	美國波士頓美術館
708	錯銀雙翼神獸	東周	河北平山縣	河北省文物研究所
708	錯金銀虎噬鹿插座	東周	河北平山縣	河北省文物研究所
709	錯金銀犀形插座	東周	河北平山縣	河北省文物研究所
709	錯金銀牛形插座	東周	河北平山縣	河北省文物研究所
710	對捲龍紋鼎	東周	河北唐山市賈各莊18號墓	中國國家博物館
710	勾連雷紋鼎	東周	河北新樂市中同村2號墓	河北省文物研究所
711	乳釘蟠虺紋鼎	東周	河北行唐縣廟上村	河北省文物研究所
711	三牛鈕蓋鼎	東周	北京通州區中趙甫墓葬	首都博物館
712	團身鳥紋蓋鼎	東周	河北平山縣	河北省文物研究所
712	蛇鈕龍紋鼎	東周	北京順義區龍灣屯墓葬	首都博物館
713	變形蟠龍紋甗	東周	河北行唐縣廟上村	河北省文物研究所
713	鑲嵌交龍紋鼎	東周	山西渾源縣李峪村	上海博物館
714	鳥鈕獸紋高足敦	東周	河北三河市雙村	河北省廊坊市文物管理所
715	環鈕蟠虺紋高足敦	東周	河北滿城縣采石廠	河北省文物研究所
715	鳥首鈕雷紋高足敦	東周	河北陽原縣九溝村	河北省文物研究所
716	蟠螭紋蓋豆	東周	北京順義區東海洪村	故宫博物院
716	狩獵紋豆	東周	河北平山縣	河北省文物研究所
717	幾何紋長柄豆	東周	北京通州區中趙甫墓葬	首都博物館
717	錯紅銅行龍紋蓋豆	東周	河北新樂市中同村2號墓	河北省文物研究所
718	絡帶紋鈉	東周	河北陽原縣九溝村	河北省文物研究所

頁碼	名稱	時代	發現地	收藏地
718	鑲嵌虎紋鈉	東周	山西渾源縣李峪村	上海博物館
719	三角蟠螭紋敦	東周	河北唐山市賈各莊	中國國家博物館
720	勾連雷紋敦	東周	河北赤城縣龍關鎮	河北省博物館
720	人形足盆	東周	河北懷來縣狼山	河北省文物研究所
721	雙首龍紋罍	東周	河北懷來縣甘子堡	河北省博物館
721	蟠虺絡紋罍	東周	河北唐縣北城子村	河北省文物研究所
722	交龍紋壺	東周	河北懷來縣北辛堡	河北省文物研究所
722	蟠虺紋提鏈壺	東周	河北淶水縣永樂村	河北省博物館
723	蟠螭紋壺	東周	河北唐縣北城子村	河北省文物研究所
723	嵌錯紅銅狩獵紋壺	東周	河北唐山市賈各莊5號墓	中國國家博物館
724	絡紋圓壺	東周	河北行唐縣李家莊	河北省博物館
724	變形雲紋壺	東周	內蒙古凉城縣	內蒙古自治區博物館
725	交龍紋壺	東周	陝西延安市	陝西歷史博物館
725	瓠形壺	東周	河北行唐縣李家莊	河北省博物館
726	重金絡壺	東周	江蘇盱眙市南窑莊窖藏	南京博物院
727	絡帶紋扁方壺	東周	河北唐縣北城子村	河北省文物研究所
727	獸首流匜	東周	河北唐縣北城子村	河北省文物研究所
728	鳥首高足匜	東周	河北唐縣北城子村	河北省文物研究所
728	龍虎紋雙耳盤	東周	河北唐山市賈各莊18號墓	中國國家博物館
729	波曲紋四耳鑑	東周	河南懷來縣北辛堡	河北省文物研究所
729	左行議率戈	東周	河北易縣	河北省文物研究所
730	燕王職戈	東周	遼寧北票市東官營子	遼寧省博物館
730	交龍紋車轄、車軎	東周	北京順義區龍灣屯	首都博物館
731	銅人	東周	河北易縣燕下都高陌村	河北省文物研究所
731	鏤空樓闕形方飾	東周	河北易縣燕下都東貫城	河北省文物研究所
732	蟠龍立鳳大鋪首	東周	河北易縣燕下都老姆臺	河北省文物研究所
732	象形燈	東周	河北易縣燕下都武陽臺	河北省文物研究所
733	魯侯鼎	東周	山東泰安市	山東省泰安市博物館
733	費敏父鼎	東周	山東鄒城市嶧山鄉鬥鷄臺遺址	山東省鄒城市博物館
734	蟠螭紋鼎	東周	山東沂水縣劉家店子1號墓	山東省文物考古研究所
734	龍紋鼎	東周	山東莒縣寨里河鄉老營村	山東省莒縣博物館
735	獸面紋鼎	東周	山東沂水縣劉家店子1號墓	山東省文物考古研究所
735	蟠虺紋鼎	東周	山東淄博市	山東省淄博市博物館
736	龍紋鼎	東周	山東蓬萊市村里集鎮	山東省烟臺市博物館

頁碼	名稱	時代	發現地	收藏地
736	雙首龍紋鼎	東周	山東臨淄市臨淄區高陽鄉	山東省淄博市齊國故城遺址博物館
737	國子鼎	東周	山東臨淄市臨淄區姚王村鳳凰冢	山東省博物館
737	蟠螭紋卵形鼎	東周	山東滕州市城關鎮	山東省滕州市博物館
738	齊趫父鬲	東周	山東臨朐縣泉頭村乙墓	山東省臨朐縣文物博物館
738	魯伯愈父鬲	東周	山東滕州市	上海博物館
739	變形獸紋鬲	東周	山東沂水縣劉家店子1號墓	山東省文物考古研究所
739	魯仲齊甗	東周	山東曲阜市魯故城望父臺48號墓	山東曲阜市文物管理委員會
740	杞伯敏亡簋	東周	山東新泰市	上海博物館
740	陳侯午簋	東周		臺北故宫博物院
741	龍耳方座簋	東周	山東臨淄市臨淄區	美國舊金山亞洲藝術博物館
742	鑄子叔黑臣鋪	東周	傳山東桓臺縣	故宫博物院
742	陳曼鋪	東周		臺北故宫博物院
743	龍紋盆	東周		山東省淄博市齊國故城遺址博物館
743	龍紋盆	東周	山東曲阜市魯故城201號墓	山東省曲阜市文物管理委員會
744	乳釘紋敦	東周	山東淄博市臨淄區褚家莊	山東省淄博市齊國故城遺址博物館
744	雷乳紋敦	東周		美國舊金山亞洲藝術博物館
745	荆公孫敦	東周		故宫博物院
745	人形足敦	東周	山東淄博市臨淄區河崖頭村	山東省淄博市齊國故城遺址博物館
746	盛形敦	東周	山東莒縣中樓鄉于家溝村	山東省莒縣博物館
746	陳侯午敦	東周		中國國家博物館
747	魯大司徒厚氏元鋪	東周	山東曲阜市林前村	故宫博物院
747	花瓣捉手蓋豆	東周	山東沂水縣劉家店子1號墓	山東省文物考古研究所
748	高柄弦紋豆	東周	山東淄博市臨淄區姚王村鳳凰冢	山東省博物館
748	鑲嵌勾連雲紋豆	東周	山東濟南市長清區崗辛墓葬	山東省博物館
749	左關鉌	東周	山東膠州市靈山衛古城	上海博物館
749	鳳鳥鈕鉌	東周	山東濟南市長清區歸德鎮	山東省文物考古研究所
750	龍耳尊	東周		上海博物館
750	瓦紋罍	東周	山東沂水縣	山東省博物館
751	斜角龍紋罍	東周	山東莒縣寨里河鄉老營村	山東省莒縣博物館
751	雙首龍紋罍	東周	山東龍口市徵集	山東省烟臺市博物館
752	雙首龍紋罍	東周	山東莒縣天井汪村	山東省博物館
752	國差罎	東周		臺北故宫博物院
753	提鏈簋形壺	東周	山東蓬萊市村里集鎮	山東省烟臺市博物館
753	陳喜壺	東周	山西太原市徵集	山西博物院

頁碼	名稱	時代	發現地	收藏地
754	公子土折壺	東周	山東臨朐縣楊善	山東臨朐縣文物博物館
754	鋪首提鏈壺	東周	山東曲阜市魯國故城3號墓	山東曲阜市文物管理委員會
755	紀侯壺	東周	山東萊陽市前河前村	山東省烟臺市博物館
755	莒大叔瓠壺	東周	山東莒縣中樓鄉于家溝村	山東省莒縣博物館
756	鷹首提梁壺	東周	山東諸城市臧家莊	山東省諸城市博物館
756	交龍紋方壺	東周	山東濟南市長清區仙人臺	山東大學歷史系
757	杞伯敏亡壺	東周	山東新泰市	上海博物館
757	薛侯行壺	東周	山東滕州市薛國故城	山東省鉅野縣文物管理所
758	蟠螭紋扁壺	東周	山東蓬萊市村里集鎮	山東省烟臺市博物館
758	竊曲紋匜	東周	山東曲阜市魯國故城202號墓	山東省曲阜市文物管理委員會
759	鄩仲匜	東周	山東臨朐縣泉頭村甲墓	山東省臨朐縣文物博物館
759	魯士商叡匜	東周		遼寧省旅順博物館
760	魯伯厚父盤	東周		故宮博物院
760	魯伯愈父盤	東周	山東滕州市鳳凰嶺	上海博物館
761	齊縈姬盤	東周		故宮博物院
761	蟠虺紋盤	東周	山東沂水縣劉家店子2號墓	山東省文物考古研究所
762	陳純釜	東周	山東膠州市靈山衛古城	上海博物館
762	邾公鐘	東周		上海博物館
763	莒公孫朝子鐘	東周	山東諸城市臧家莊	山東省諸誠市博物館
763	莒公孫朝子鎛	東周	山東諸城市臧家莊	山東省諸城市博物館
764	曹公子沱戈	東周		山東省博物館
764	錯金銀三鳥杖首	東周	山東曲阜市魯故城乙組3號墓	山東省曲阜孔府文物檔案館
765	金銀錯雲龍紋帶鈎	東周	山東曲阜市魯國故城51號墓	山東省曲阜市文物管理委員會
765	鎏金鑲玉帶鈎	東周	山東曲阜市魯國故城58號墓	山東省曲阜市文物管理委員會
766	鑲嵌幾何紋三鈕鏡	東周	山東淄博市臨淄區齊國故城遺址	山東省博物館
766	方座鳥柱挂架	東周	山東濟南市長清區仙人臺邿國墓地	山東大學歷史系
767	立馬	東周	山東平陰縣孝直鎮	山東省平陰縣博物館
767	嵌緑松石卧牛	東周	山東平陰縣孝直鎮	山東省平陰縣博物館
768	獸體捲曲紋鼎	東周	河南信陽市明港	河南省信陽市文物管理委員會
768	番昶伯者君鼎	東周	河南信陽市楊河村	河南省信陽市文物管理委員會
769	龍紋鼎	東周	安徽肥西縣柿樹崗小八里村	安徽省博物館
769	變形獸紋鼎	東周	安徽六安市孫家崗思古潭	安徽省博物館
770	黄夫人鼎	東周	河南光山縣寶相寺	河南省信陽市文物管理委員會
770	蟬紋銅蓋鼎	東周	安徽六安市孫家崗	安徽省博物館

頁碼	名稱	時代	發現地	收藏地
771	獸體捲曲紋鼎	東周	安徽壽縣蕭嚴湖魏崗	安徽省壽縣博物館
771	鄝子宿車鼎	東周	河南羅山縣高店村	河南省信陽市文物管理委員會
772	獸體捲曲紋鼎	東周	安徽舒城縣河口鎮幸福村窖場	安徽省皖西博物館
772	獸首鼎	東周	安徽舒城縣鳳凰嘴	安徽省壽縣博物館
773	羊首鼎	東周	安徽壽縣蕭嚴湖魏崗	安徽省壽縣博物館
773	獸目紋簠	東周	河南潢川縣彭店村	河南省潢川縣文化館
774	樊君盆	東周	河南信陽市平橋區	河南省信陽市文物管理委員會
774	子諆盆	東周	河南潢川縣老李店村	河南省信陽市文物管理委員會
775	鄝子宿車盆	東周	河南羅山縣高店村	河南省信陽市文物管理委員會
755	黃夫人豆	東周	河南光山縣寶相寺	河南省信陽市文物管理委員會
776	垂鱗紋壺	東周	河南信陽市明港鎮	河南省信陽市文物管理委員會
776	番叔壺	東周	河南信陽市平橋區	河南信陽地區文物管理委員會
777	黃夫人壺	東周	河南光山縣寶相寺	河南省信陽市文物管理委員會
778	孫叔師父壺	東周		日本東京根津美術館
778	捲龍紋方壺	東周	河南潢川縣劉砦	河南省信陽市文物管理委員會
779	黃夫人鑘	東周	河南光山縣寶相寺	河南省信陽市文物管理委員會
779	黃君孟鑘	東周	河南光山縣寶相寺	河南省信陽市文物管理委員會
780	黃夫人盉	東周	河南光山縣寶相寺	河南省信陽市文物管理委員會
780	鱗紋盉	東周	安徽肥西縣柿樹崗小八里村	安徽省博物館
781	鬲形盉	東周	河南光山縣寶相寺	河南省信陽市文物管理委員會
781	獸鋬盉	東周	安徽廬江縣泥河鎮胡崗	安徽省博物館
782	捲鋬盉	東周	安徽六安市燕山村	安徽省博物館
782	單匜	東周	河南羅山縣高店村	河南博物院
783	樊夫人匜	東周	河南信陽市平橋區	河南省信陽市文物管理委員會
783	番昶伯者君匜	東周	河南信陽市楊河村	河南省信陽市文物管理委員會
784	交龍紋匜	東周	安徽懷寧縣金拱鎮楊家牌村	安徽省懷寧縣文物管理所
784	獸目交連紋匜	東周	安徽肥西縣柿樹崗小八里村	安徽省博物館
785	龍紋匜	東周	安徽天長市潭井村	安徽省天長市博物館
785	黃夫人匜	東周	河南光山縣寶相寺	河南省信陽市文物管理委員會
786	番君白戲盤	東周	河南潢川縣彭店村	河南省潢川縣文化館
787	單盤	東周	河南羅山縣高店村	河南博物院
787	鄝子宿車盤	東周	河南羅山縣高店村	河南省信陽市文物管理委員會
788	交龍紋方簠	東周	安徽肥西縣柿樹崗小八里村	安徽省博物館
788	黃夫人方座	東周	河南光山縣寶相寺	河南省信陽市文物管理委員會

頁碼	名稱	時代	發現地	收藏地
789	克黃鼎	東周	河南淅川縣和尚嶺1號墓	河南省文物考古研究所
789	蔡侯鼎	東周	安徽壽縣西門蔡侯墓	安徽省博物館
790	王子午鼎	東周	河南淅川縣下寺2號墓	河南省文物考古研究所
791	曾侯乙鼎	東周	湖北隨州市擂鼓墩曾侯乙墓	湖北省博物館
791	曾侯仲子父鼎	東周	湖北京山縣蘇家壠	湖北省博物館
792	鑄客鼎	東周	安徽壽縣朱家集李三孤堆大墓	安徽省博物館
793	蟠虺紋鼎	東周	湖北當陽市金家山9號墓	湖北省宜昌市博物館
793	鄧公乘鼎	東周	湖北襄樊市襄陽區山灣	湖北省博物館
794	蔡侯鼎	東周	安徽壽縣蔡侯墓	安徽省博物館
794	蟠虺紋鼎	東周	安徽壽縣蔡侯墓	安徽省博物館
795	曾太師鼎	東周	河南淅川縣和尚嶺1號墓	河南省文物考古研究所
795	曾侯乙鼎	東周	湖北隨州市擂鼓墩曾侯乙墓	湖北省博物館
796	王后鼎	東周		北京市保利藝術博物館
796	卧牛鈕鼎	東周	湖北荆門市包山2號墓	湖北省博物館
797	鑄客大鼎	東周	安徽壽縣朱家集李三孤堆大墓	安徽省博物館
798	四聯鼎	東周	安徽太湖縣長河水利工地	安徽省博物館
798	曾侯乙鼎	東周	湖北隨州市擂鼓墩曾侯乙墓	湖北省博物館
799	倗湯鼎	東周	河南淅川縣下寺2號墓	河南省淅川縣博物館
799	曾侯乙湯鼎	東周	湖北隨州市擂鼓墩曾侯乙墓	湖北省博物館
800	曾侯乙匜鼎	東周	湖北隨州市擂鼓墩曾侯乙墓	湖北省博物館
800	酓肯鈚鼎	東周	安徽壽縣朱家集李三孤堆	安徽省博物館
801	透雕變形龍紋俎	東周	河南淅川縣下寺2號墓	河南博物院
801	蟠虺紋鬲	東周	河南淅川縣下寺1號墓	河南博物院
802	交龍紋鬲	東周	河南淅川縣下寺2號墓	河南省文物考古研究所
802	繩紋鬲	東周	湖北隨州市擂鼓墩曾侯乙墓	湖北省博物館
803	曾侯乙鬲	東周	湖北隨州市擂鼓墩曾侯乙墓	湖北省博物館
803	龍紋方甗	東周	湖北京山縣蘇家壠	湖北省博物館
804	曾侯乙甗	東周	湖北隨州市擂鼓墩曾侯乙墓	湖北省博物館
804	鑄客甗	東周	安徽壽縣朱家集李三孤堆	安徽省博物館
805	曾侯乙匕	東周	湖北隨州市擂鼓墩曾侯乙墓	湖北省博物館
805	倗子棚簋	東周	河南淅川縣下寺2號墓	河南博物院
806	蔡侯簋	東周	安徽壽縣蔡侯墓	中國國家博物館
806	曾侯乙簋	東周	湖北隨州市擂鼓墩曾侯乙墓	湖北省博物館
807	曾仲斿父鋪	東周	湖北京山縣蘇家壠	湖北省博物館

頁碼	名稱	時代	發現地	收藏地
807	何次鉶	東周	河南淅川縣下寺8號墓	河南省文物考古研究所
808	子季嬴青鉶	東周	湖北襄陽市山灣	湖北省博物館
808	蔡公子義工簠	東周	河南潢川縣高稻場	河南博物院
809	曾侯乙豆	東周	湖北隨州市擂鼓墩曾侯乙墓	湖北省博物館
810	嵌紅銅獸紋豆	東周	安徽壽縣蔡侯墓	安徽省博物館
810	勾連雲紋豆	東周	湖南湘鄉市新坳村	湖南省博物館
811	鑄客豆	東周	安徽壽縣朱家集	故宮博物院
811	素面方豆	東周	湖北江陵縣藤店1號墓	湖北省荆州博物館
812	鑲嵌獸紋方豆	東周	河南固始縣侯古堆	河南博物院
813	郳子行盆	東周	湖北隨州市鰱魚嘴	湖北省博物館
813	環耳蹄足敦	東周	河南潢川縣高稻場	河南博物院
814	蟠龍紋敦	東周	湖北當陽市金家山楚墓	湖北省宜昌市博物館
814	變形蟠虺紋敦	東周	河南淅川縣下寺10號墓	河南博物院
815	鑲嵌雲紋敦	東周	湖北秭歸縣樹坪鎮斑鳩窩村	湖北省博物館
816	嵌錯三角雲紋敦	東周		上海博物館
816	曾侯乙提鏈盂	東周	湖北隨州市擂鼓墩曾侯乙墓	湖北省博物館
817	鑲嵌雲紋盒	東周	湖南長沙市	湖南省長沙市博物館
817	鑲嵌龍紋鈉	東周	河南淅川縣下寺2號墓	河南博物院
818	蟠虺紋龍耳鈉	東周	湖北襄樊市襄陽區山灣	湖北省博物館
818	鷹流杯	東周	湖北荆門市包山2號墓	湖北省博物館
819	曾仲父方壺	東周	湖北京山縣蘇家壠	湖北省博物館
820	龍耳方壺	東周	河南淅川縣下寺1號墓	河南博物院
821	蔡侯方壺	東周	安徽壽縣蔡侯墓	安徽省博物館
821	蟠虺紋提鏈壺	東周	河南淅川縣下寺3號墓	河南博物院
822	綫刻對虎紋鐎壺	東周	河南固始縣侯古堆1號大墓	河南省文物考古研究所
822	曾侯乙提鏈壺	東周	湖北隨州市擂鼓墩曾侯乙墓	湖北省博物館
823	聯禁龍紋壺	東周	湖北隨州市擂鼓墩曾侯乙墓	湖北省博物館
824	鑲嵌雲紋壺	東周	湖北江陵縣藤店1號墓	湖北省荆州博物館
824	變形龍紋鏈壺	東周	湖南長沙市烈士公園	湖南省博物館
825	錯銀立鳥壺	東周	江蘇漣水縣三里墩	南京博物院
826	雲紋壺	東周	湖南長沙市絲茅沖	湖南省博物館
826	倗尊缶	東周	河南淅川縣下寺1號墓	河南博物院
827	蟠虺紋尊缶	東周	湖北當陽市季家湖楚墓	湖北省宜昌市博物館
827	曾侯乙尊缶	東周	湖北隨州市擂鼓墩曾侯乙墓	湖北省博物館

頁碼	名稱	時代	發現地	收藏地
828	書巳缶	東周		中國國家博物館
828	羽翅紋尊缶	東周	湖南益陽市赫山廟	湖南省益陽市博物館
829	鄬子倗浴缶	東周	河南淅川縣下寺2號墓	河南省文物考古研究所
829	蔡侯申浴缶	東周	安徽壽縣蔡侯墓	中國國家博物館
830	蔡侯朱浴缶	東周	湖北宜城市安樂坨	湖北省博物館
830	曾侯乙浴缶	東周	湖北隨州市擂鼓墩曾侯乙墓	湖北省博物館
831	曾侯乙方鑒缶	東周	湖北隨州市擂鼓墩曾侯乙墓	湖北省博物館
832	曾侯乙尊盤	東周	湖北隨州市擂鼓墩曾侯乙墓	湖北省博物館
833	錯銀雲紋尊	東周	湖北江陵縣望山2號墓	湖北省博物館
834	勾連雲紋尊	東周	湖南長沙市硯瓦池	湖南省博物館
834	錯金銀雲龍紋尊	東周	湖北荆門市包山2號墓	湖北省博物館
835	蟠螭紋斗	東周	湖北枝江市姚家港4號墓	湖北省宜昌市博物館
835	曾侯乙長柄斗	東周	湖北隨州市擂鼓墩曾侯乙墓	湖北省博物館
836	透雕蟠虺紋禁	東周	河南淅川縣下寺2號墓	河南省文物考古研究所
838	曾侯乙過濾器	東周	湖北隨州市擂鼓墩曾侯乙墓	湖北省博物館
838	波曲紋盉	東周	湖北京山縣蘇家壠	湖北省博物館
839	蟠虺紋盉	東周	河南淅川縣下寺1號墓	河南博物院
840	鑄客盉	東周	安徽壽縣朱家集	故宫博物院
840	𦚏父匜	東周	湖北枝江市百里洲	湖北省博物館
841	蟠虺紋匜	東周	河南淅川縣下寺1號墓	河南博物院
841	曾侯乙匜	東周	湖北隨州市擂鼓墩曾侯乙墓	湖北省博物館
842	曾侯乙匜	東周	湖北隨州市擂鼓墩曾侯乙墓	湖北省博物館
842	蔡侯方鑒	東周	安徽壽縣蔡侯墓	安徽省博物館
843	大府鎬	東周	安徽壽縣朱家集李三孤堆大墓	安徽省博物館
843	蟠虺紋盤	東周	河南潢川縣高稻場	河南博物院
844	蟠螭紋盤	東周	河南淅川縣下寺1號墓	河南博物院
844	曾侯乙盤	東周	湖北隨州市擂鼓墩曾侯乙墓	湖北省博物館
845	怪獸鼓架	東周	河南淅川縣徐家嶺9號墓	河南省文物考古研究所
846	臧孫編鐘	東周	江蘇六合縣程橋鎮	南京博物院
846	𠄔子受镈鐘	東周	河南淅川縣和尚嶺2號墓	河南省文物考古研究所
847	交龍紋镈	東周	河南固始縣侯古堆	河南省文物考古研究所
848	曾侯乙編鐘	東周	湖北隨州市擂鼓墩曾侯乙墓	湖北省博物館
852	𨟻篙編鐘	東周	河南信陽市長臺關	中國國家博物館
854	秦王卑命鐘	東周	湖北枝江市雲臺鎮新華村	湖北省宜昌市博物館

頁碼	名稱	時代	發現地	收藏地
854	交龍紋鏡	東周	湖北荊門市包山2號墓	湖北省荊門市博物館
855	外卒鐸	東周		故宮博物院
855	虎紋虎鈕錞于	東周	湖南常德市徵集	湖南省博物館
856	曾侯乙怪獸形編磬座	東周	湖北隨州市擂鼓墩曾侯乙墓	湖北省博物館
856	斑紋鉞	東周		北京市保利藝術博物館
857	王孫弄戈	東周	河南淅川縣下寺2號墓	河南博物院
857	楚王酓璋戈	東周	河南洛陽市	故宮博物院
858	曾侯乙戟	東周	湖北隨州市擂鼓墩曾侯乙墓	湖北省博物館
858	鈎內戟	東周	河南南陽市徵集	河南省南陽市博物館
859	透雕矛	東周	河南淅川縣下寺2號墓	河南省文物考古研究所
859	黑斑點紋矛	東周	湖北江陵縣雨臺山264號墓	美國華盛頓賽克勒美術館
860	錯金音律銘劍	東周		北京市保利藝術博物館
861	玉首匕	東周	湖北隨州市擂鼓墩曾侯乙墓	湖北省博物館
861	玉首削	東周	湖北隨州市擂鼓墩曾侯乙墓	湖北省博物館
862	曾侯乙鈹形軎	東周	湖北隨州市擂鼓墩曾侯乙墓	湖北省博物館
863	錯金銀龍形輈首	東周	河南淮陽縣馬鞍塚2號車馬坑	河南省文物考古研究所
863	王命傳任虎符	東周		故宮博物院
864	鄂君啓節	東周	安徽壽縣邱家花園	安徽省博物館
865	熏	東周	湖北隨州市擂鼓墩曾侯乙墓	湖北省博物館
865	透雕交龍紋圓筒	東周	湖北隨州市擂鼓墩曾侯乙墓	湖北省博物館
866	透雕鳳鳥紋熏	東周	湖北江陵縣望山1号墓	湖北省博物馆
866	鏤空交龍紋熏	東周	湖北江陵縣雨臺山264號墓	湖北省荆州博物館
867	鏤空勾連龍紋熏	東周	湖北荊門市包山2號墓	湖北省博物館
867	人擎燈	東周	湖北荊門市包山2號墓	湖北省博物館
868	騎駝人擎燈	東周	湖北江陵縣望山2號墓	湖北省博物館
868	曾侯乙箕	東周	湖北隨州市擂鼓墩曾侯乙墓	湖北省博物館
869	曾侯乙漏鏟	東周	湖北隨州市擂鼓墩曾侯乙墓	湖北省博物館
869	雲紋方爐	東周	安徽壽縣朱家集李三孤堆	安徽省博物館
870	三龍紋鏤空鈕鏡	東周	湖南長沙市子彈庫15號墓	湖南省博物館
870	透空龍鳳紋鏡	東周	湖北江陵縣張家山201號楚墓	中國國家博物館
871	四山紋鏡	東周	湖南常德市德山	湖南省博物館
871	透雕四鳥紋方鏡	東周		日本私人處
872	曾侯乙鹿角立鶴	東周	湖北隨州市擂鼓墩曾侯乙墓	湖北省博物館
873	飛鳥器	東周	湖北荊門市包山2號墓	湖北省博物館

頁碼	名稱	時代	發現地	收藏地
873	攫蛇飛鷹	東周	安徽壽縣朱家集李三孤堆	安徽省博物館
874	大府卧牛	東周	安徽壽縣邱家花園	中國國家博物館
874	蟠螭紋箍頭	東周	江蘇淮陰市高莊	江蘇省淮陰市博物館

秦公鼎

東周

甘肅禮縣大堡子山秦公大墓出土。

高47、口徑42.3厘米。

鼎爲大小相次的一組五件或七件列鼎中的一部分，這是其中已知的最大一件。鼎的形態爲立耳折沿，束頸垂腹，底部近平，蹄足粗高。耳飾重環紋、頸飾雲目紋，腹飾龍目紋，器内腹壁鑄銘二行六字“秦公作鑄用鼎”。

現藏上海博物館。

錯金銀雲紋鼎

東周

陝西咸陽市渭城區戚夫人墓出土。

高14、口徑12.1厘米。

圜頂蓋，蓋面有三環鈕。器口微斂，附耳略曲，淺腹圜底，腹側接纖細的三蹄足。通體以金銀錯紋飾，除了蓋頂中心的柿蒂紋和下腹的三角垂葉紋外，其餘都是交叉的雲氣紋。

現藏陝西省咸陽博物館。

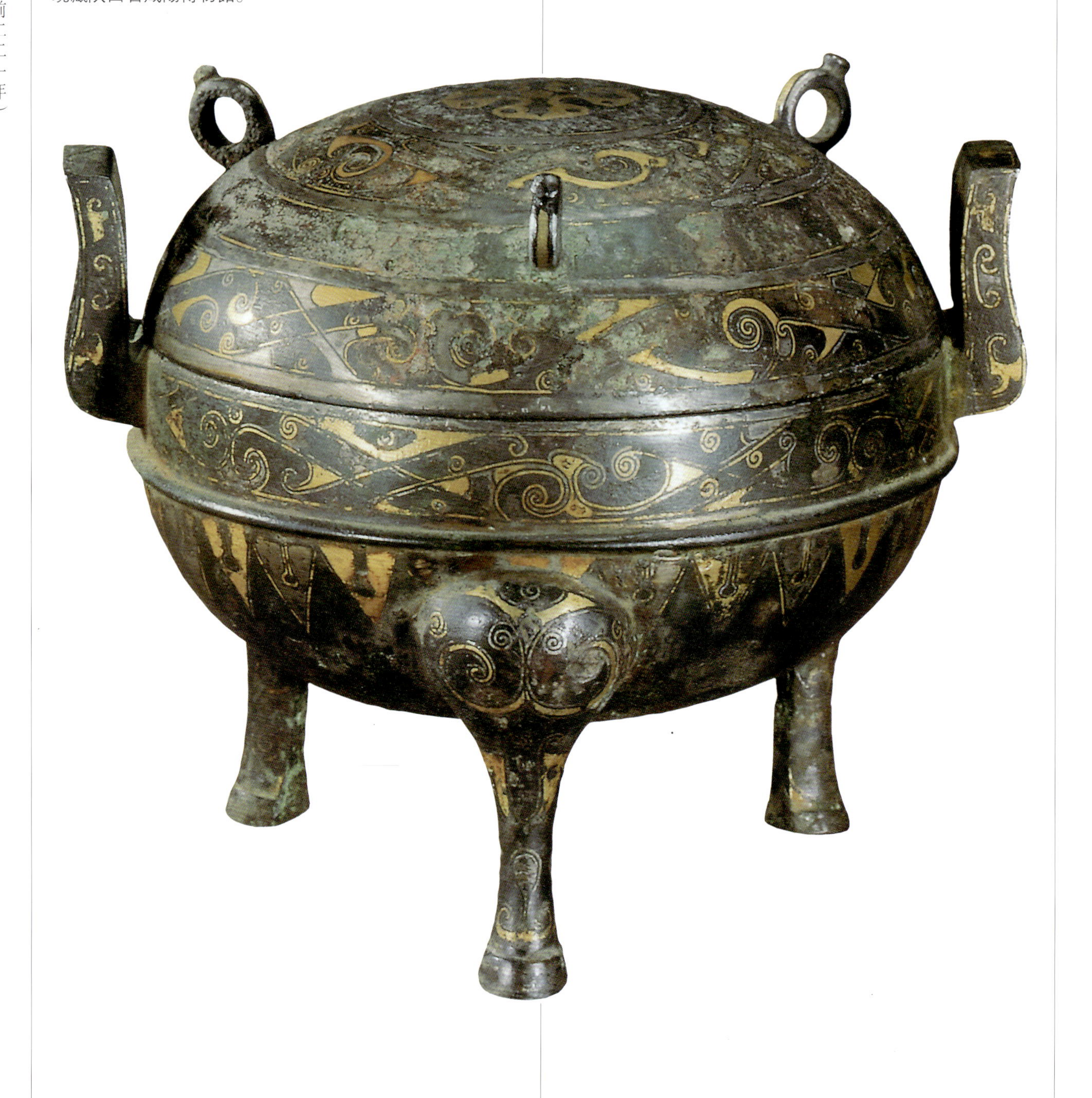

竊曲紋鼎

東周
陝西隴縣邊家莊出土。
高13.3、口徑14.2厘米。
立耳折沿，鼓腹圜底，底接中空的蹄足。上腹帶目捲雲狀竊曲紋，紋飾非常粗放。
現藏陝西省文物考古研究所寶鷄工作站。

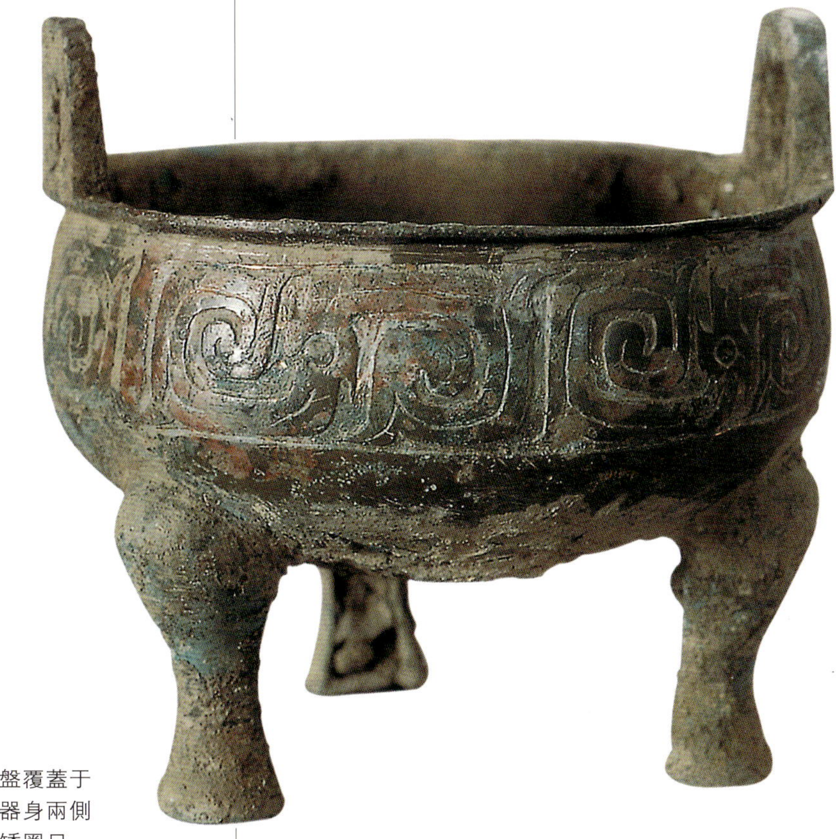

秦公簋

東周
傳甘肅天水市西南鄉出土。
高19.8、口徑18.5厘米。
簋屬圈足斂口類。簋蓋如矮圈足豆或盤覆蓋于器身的子口上，器口微斂，腹微鼓，器身兩側有對稱的獸首無珥鋬，器底接外撇的矮圈足。器表以瓦溝紋爲主體紋樣，蓋沿及器口各飾一周勾連蟠虺紋，圈足飾環帶紋。器蓋鑄銘十行五十三字，器身鑄銘五行五十一字，蓋、身銘文相連。該秦公在銘文中追述了自皇祖受命以來“十又二公”的功烈，表明自己要效法先祖，有所作爲。在簋的外壁有秦漢時人加刻的銘文，可知此簋在秦漢時期已爲西縣官物。
現藏中國國家博物館。

秦公簋

東周

甘肅禮縣大堡子山秦公大墓出土。

高23.5、口徑18.8厘米。

簋原爲列簋，此爲其中之一。蓋如覆碗，上有較高的圈狀捉手。器爲斂口、鼓腹、矮圈足，肩腹兩側安獸首帶珥鋬，圈足周圍有三隻獸首小蹄足。簋蓋的圈頂內有環繞着一圓的斜角雲紋，蓋面和器腹施瓦溝紋，蓋壁和器肩飾雲目紋。雲目紋各單元之間均隔以小獸面紋。銘文鑄于器內及蓋內，“秦公作寶簋”五字分兩行排列。大堡子山秦公銅簋基本保留了西周銅器特點，秦文化銅簋的典型特徵在此簋上還没反映出來。

現藏上海博物館。

獸目交連紋方甗

東周

陝西隴縣邊家莊出土。

高17.4，甑口長12.4、寬10.8，鬲口長8.8、寬7.4厘米。

甑、鬲合體渾鑄。甑部爲上大下小的長方形，底無箅；鬲部無頸，下接粗大的四蹄足。甑部上飾竊曲紋，下飾對捲龍紋。

現藏陝西省文物考古研究所寶鷄工作站。

腰檐甗

東周

陝西鳳翔縣高王寺窖藏出土。

通高30.6、口徑19厘米。

屬甑、鬲分鑄的分體甗。甑部形似盆盂，附耳外撇，下有圈足插入鬲口，甑底有圓形箅。鬲部小口直頸，聯襠蹄足，肩部對置環耳。甑與鬲相接處套有圓環狀的腰檐。甑部腹飾絢索紋邊的蟠虺紋，鬲部上飾交龍紋，下飾波曲紋。

現藏陝西省鳳翔縣文化館。

鑲嵌雲紋盛

東周
陝西米脂縣官莊村墓葬出土。
高15.2、口徑18.2、底徑14厘米。
蓋如平頂的覆盤，器如矮圈足的淺腹碗。蓋頂中心有小鈕，蓋面設四個雲形環鈕。腹兩側對置銜環鋪首，一環已失。器表滿布金銀嵌錯的勾連雲紋和斜角雲紋。
現藏陝西省米脂縣博物館。

交龍紋方壺

東周
陝西隴縣邊家莊出土。
高20.4、口長6.4、寬5.2厘米。
長方形口，長頸垂腹，下接碩大的橢方形圈足。頸設獸首形半環耳。頸飾竊曲紋，腹飾交龍紋。壺的造型爲傳統的高級橢方壺，製作却比較粗放，具有典型的秦器特點。
現藏陝西省文物考古研究所寶鷄工作站。

鑲嵌宴樂紋壺

東周
陝西鳳翔縣高王寺窖藏出土。
高40、口徑10.8厘米。
傘形淺蓋，蓋周有三鴨形鈕。器爲侈口、曲頸、鼓腹、圈足，肩兩側設銜環鋪首。蓋中部飾圓渦紋，周飾獸紋。器體由三道箍帶分爲四層，每層飾紅銅嵌錯的社會生活圖案，分别表現習射、弋射、競射、宴樂、狩獵的場面，具有晋系銅器的風格。
現藏陝西省鳳翔縣文化館。

曲頸壺

東周
陝西米脂縣官莊出土。
高34厘米。
壺的主體類似蒜頭壺，都是細長頸、圓垂腹、矮圈足，但壺頸却彎曲朝下，口部也不膨脹如蒜頭。素面，僅頸部有三道弦紋。
現藏陝西省米脂縣博物館。

鳳鳥紋盉

東周

陝西隴縣邊家莊出土。

高21.6、長21.6厘米。

圓角，橢方形，扁體，無頸，上罩鳳鳥形蓋，下接較高的橢方形圈足。盉前有獸首形流，後有帶獸首的小環耳鋬。腹兩側以歧羽紋爲邊，内飾鳳鳥紋和夔龍紋，圈足飾波曲紋。

現藏陝西省文物考古研究所寶鷄工作站。

翼獸盉

東周

甘肅涇川縣出土。

高30.2、長20.8、寬22.5厘米。

盉作四足獸的造型，身體肥碩，獸頭甚小，四足很短，扁平短尾與獸頭間有龍形提梁。圓筒形器口開于獸的背部，器口覆蓋，蓋頂有鳥形鈕。獸首張口爲管流。器腹部兩側鑄出平行的羽翅紋，形成雙翼。盉的造型爲獸，却長着鳥的翅膀，這是來自西亞的帶翼怪獸“格里芬”與中國傳統銅容器相結合的產物。

現藏甘肅省博物館。

秦公鐘

東周

陝西寶鷄市太公廟窖藏出土。

高48厘米。

編鐘一套八件，其中弧口甬鐘五件，爲體量依次遞減的相同形制，此爲最大的一件。鐘的挂鈎大多尚存，造型爲有鉦、篆、枚分區的標準甬鐘。短甬帶旋，前出旋蟲，舞部、篆間、鼓部分别飾龍目紋、行龍紋和對鳳紋。鐘體鑄銘文，較大的二鐘和較小的三鐘分别相連成篇。全篇銘文共一百三十五字（含重文四、合文一），銘文以“秦公曰”開始，回顧了秦自先祖受命歷經文、静、憲三公的業績。該鐘對于證實秦國早期諸公世次和當時秦國都城的地望，都具有很高的史料價值。

現藏陝西省寶鷄市青銅器博物館。

秦公镈

東周

陝西寶鷄市太公廟出土。

高75.1厘米。

三件镈鐘，形制相同，大小相次。同出另有秦公甬鐘五件，二者共同組成一套。镈的挂鈎尚存。镈體兩側及兩中有鏤空龍鳳形扉棱，扉棱至舞部聚合爲鈕。鉦部不分區，在上下兩道由變形蟬紋、竊曲紋和菱形釘組成的紋帶間飾蟠龍主紋。銘文鑄于鼓部，每件镈銘文單獨成篇。銘文内容與秦公鐘相同。

現藏陝西省寶鷄市青銅器博物館。

捲龍紋鈴

東周
陝西鳳翔縣大辛村徵集。
高16、口徑8.5厘米。
造型與甬鐘相近，衹是甬部末端做成環鈕，這又具有鈕鐘的特點。鈴身用陰綫紋飾表示鉦、枚和篆部，甬、鉦、篆部飾斜角的獸面和雲雷紋，鼓部飾對捲龍紋。
現藏陝西省鳳翔縣文化館。

秦子戈

東周
長23.1、寬11.5厘米。
長援中胡直內，欄尾伸出，近欄處三穿，內部一穿。胡部刻銘二行十五字："秦子作造，中辟元用。左右師鮭，用逸。宜。"
現藏故宮博物院。

八年相邦建信君鈹（左圖）

東周

長25、寬3.5厘米。

形似無各劍，前段略窄，後段加寬，衹是鈹背平而無脊。鈹莖爲略窄的扁梯形，尾部殘斷。鈹背上刻銘二行十九字“八年相邦建信君、邦左庫工師段、冶尹延執劑”。

現藏故宮博物院。

獸首轄竊曲紋軎

東周

甘肅禮縣徵集。

軎長13.2、轄長10.5厘米。

軎呈一端開敞的圓筒形，中以凸弦紋分爲兩節。內側一節素面有穿，内插獸首轄；外面一節以重環紋爲邊，内飾龍首竊曲紋。

現藏甘肅省博物館。

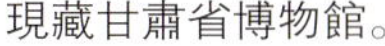

鼎形燈

東周

甘肅平凉市廟莊出土。

高30.5、口徑12，閉合時高16.7厘米。

燈作鼎形。平頂蓋，蓋頂中央有圓筒形捉手，蓋面兩側各有一曲尺形卡扣。器身爲子口斜肩，腹有箍帶，圜底蹄足，附耳帶轉軸連接支架。此燈不用時將燈盤覆蓋在鼎口作蓋，將支架倒放在蓋面的卡扣內。使用時將鼎蓋揭起翻轉作燈盤，再將活動的鼎耳抬起插入燈盤下的圓筒內，就成爲相當穩定的銅燈。設計頗爲巧妙。

現藏甘肅省博物館。

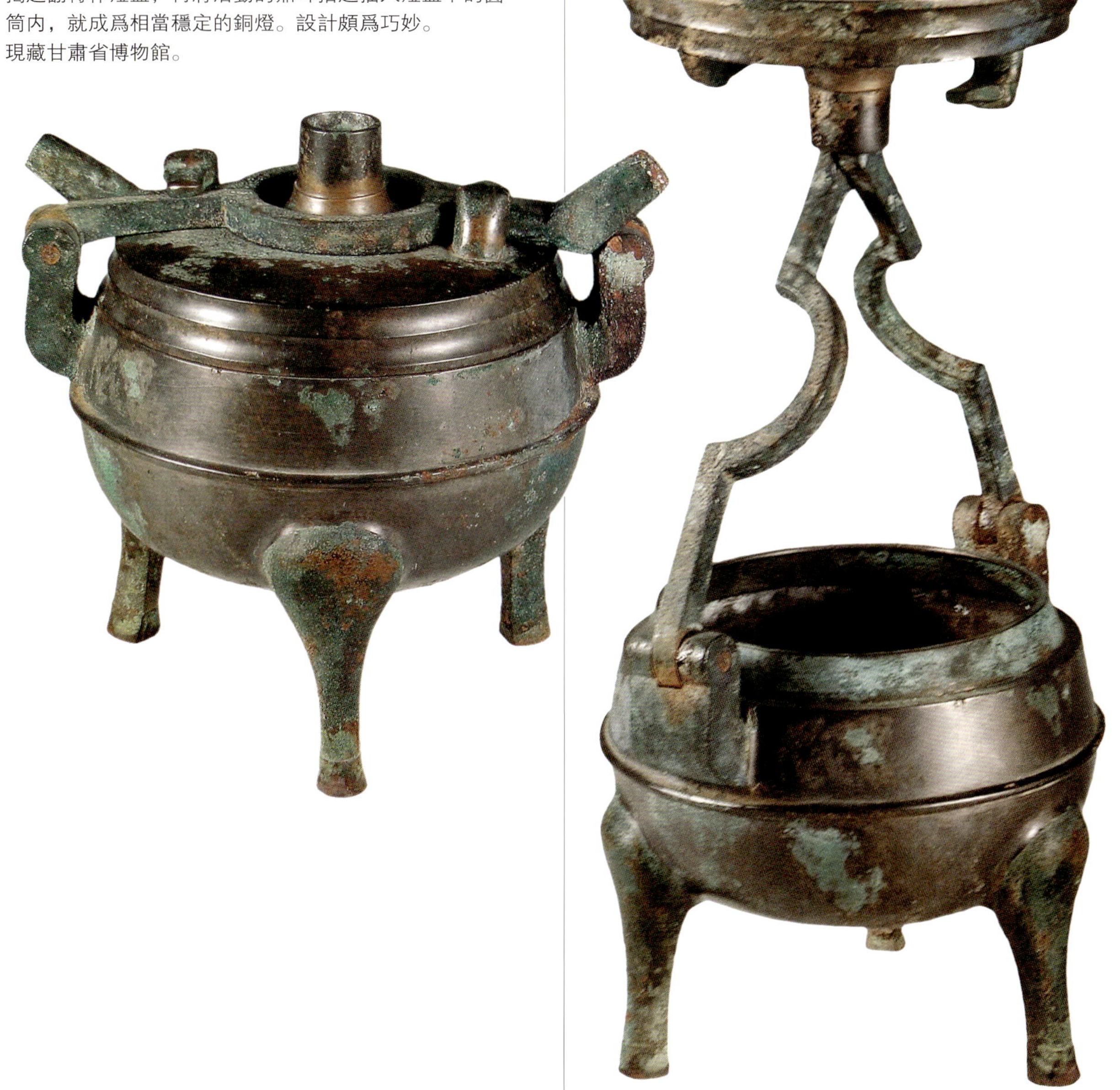

鼎形燈打開圖

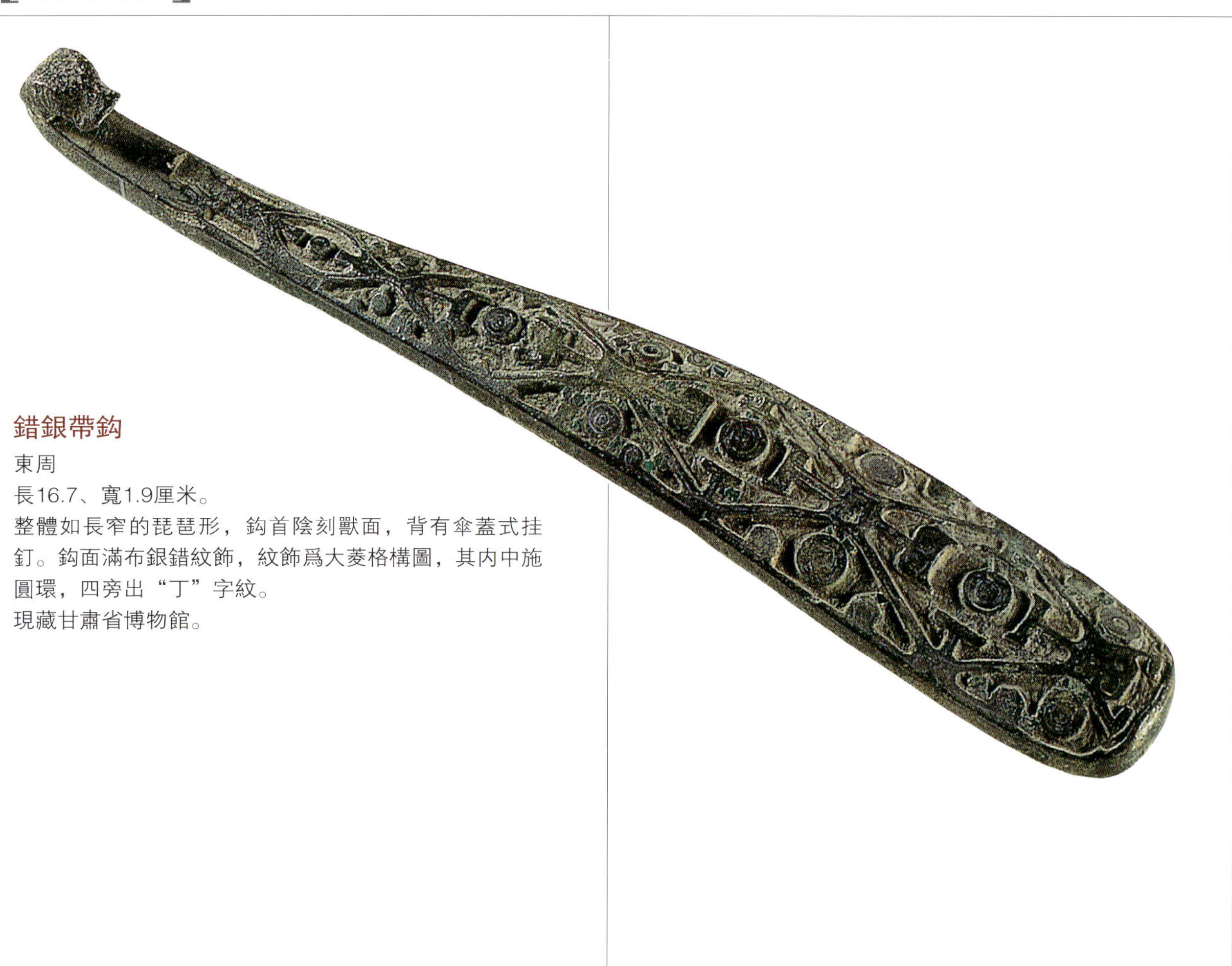

錯銀帶鈎

東周

長16.7、寬1.9厘米。

整體如長窄的琵琶形，鈎首陰刻獸面，背有傘蓋式挂釘。鈎面滿布銀錯紋飾，紋飾爲大菱格構圖，其内中施圓環，四旁出“丁”字紋。

現藏甘肅省博物館。

走獸紋鏡

東周

陝西鳳翔縣雍城出土。

直徑9.8厘米。

橋形鈕，小圓鈕座，鏡緣較寬。背紋以寬弦紋分爲内、外兩區，内區飾三隻回首走獸紋，外區飾五隻正首走獸紋。這些走獸相從環列，形態頭似龍鳳，身如虎豹，紋似龍魚。有晋系銅鏡風格。

現藏陝西省鳳翔縣博物館。

四鳳紋鏡

東周

陝西西安市出土。

直徑13.7厘米。

中爲三弦鈕，其外一圓帶爲鈕座，連弧紋鏡緣。鏡背飾以雲雷紋襯地的四隻變形鳳鳥紋。

現藏陝西歷史博物館。

蟠虺紋曲尺形箍頭

東周

陝西鳳翔縣姚家崗窖藏出土。

一側長44、一側長34、寬16厘米。

轉角處箍頭，呈曲尺形。外側的視向面兩端作鋸齒形，器表飾蟠虺紋，上下兩面及內側爲空格框架。

現藏陝西歷史博物館。

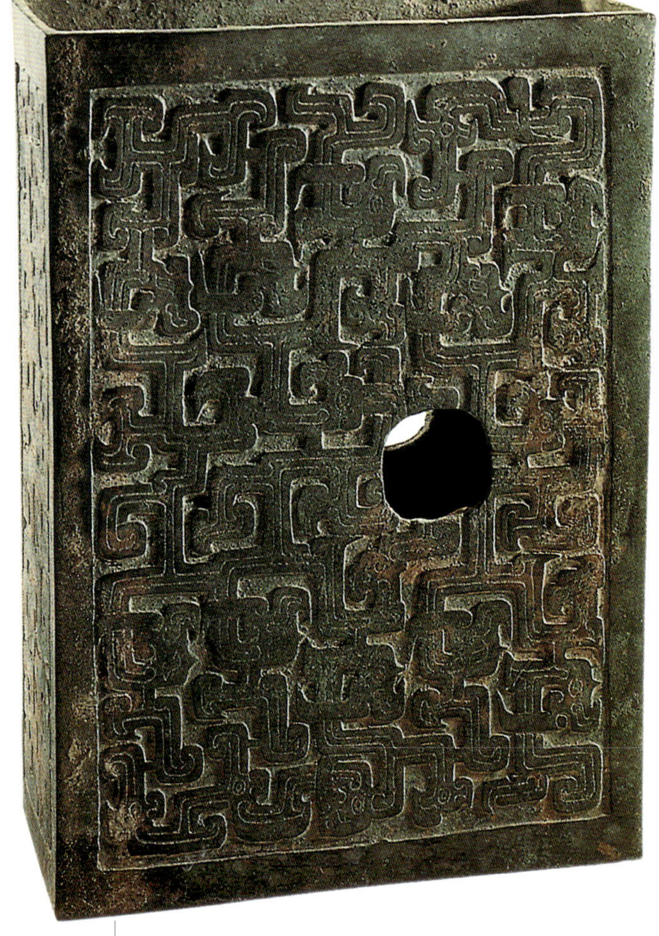

蟠虺紋長方形箍頭

東周
陝西鳳翔縣姚家崗窖藏出土。
長31、寬22厘米。
形態好似長方形空心磚，兩端敞開可以插入木枋，中心偏上有圓穿可以固定。箍頭的正面和下面爲四周有邊框的蟠虺紋，背面和上面則爲素面。
現藏陝西歷史博物館。

蟠虺紋鼎

東周
河南新鄭市李家樓出土。
高45.5、口徑44厘米。
立耳外撇，腹、足上部飾扉棱。
腹施蟠虺紋，足上部獸面紋。
現藏河南博物院。

蟠虺紋鼎

東周
河南新鄭市金城路出土。
高50、口徑49厘米。
斜折口沿，立耳外撇，腹下接三根纖細的蹄足。立耳外側飾鳥紋，腹間飾細細的綯索紋一道，跨綯索紋的是六道等距的短扉棱，飾蟠虺紋，鼎腿上部飾獸面紋。
現藏河南博物院。

蟠虺紋蓋鼎

東周
河南新鄭市李家樓出土。
高33.2厘米。
鼎的子口上罩弧頂蓋，蓋頂有六撐圜形捉手。附耳直立，深腹圜底，三矮蹄足外撇。蓋面三道凸弦紋，器腹一道凸弦紋，通體飾細密的蟠虺紋。
現藏河南博物院。

鏤空蟠虺紋鼎

東周
山西新絳縣柳泉墓地采集。
高24、口徑26.3厘米。
口沿平折，附耳寬厚，腹部微鼓，下接三條粗大的蹄足。鼎腹外套一層鏤空蟠虺紋，應該是以失蠟法鑄造。這是晉文化中年代最早的失蠟法鑄造的銅器。
現藏山西省考古研究所。

蟠虺紋平蓋鼎

東周
山西聞喜縣上郭村采集。
高18.4、口徑19.4厘米。
鼎的子口外罩平頂，蓋面中央有環，周列三矩形鈕。附耳垂直，腹部較淺，腹側接三個不粗的蹄足。蓋無紋，器腹則遍飾蟠虺紋，腹間有綯索紋一道將其分爲上下兩層。
現藏山西省考古研究所。

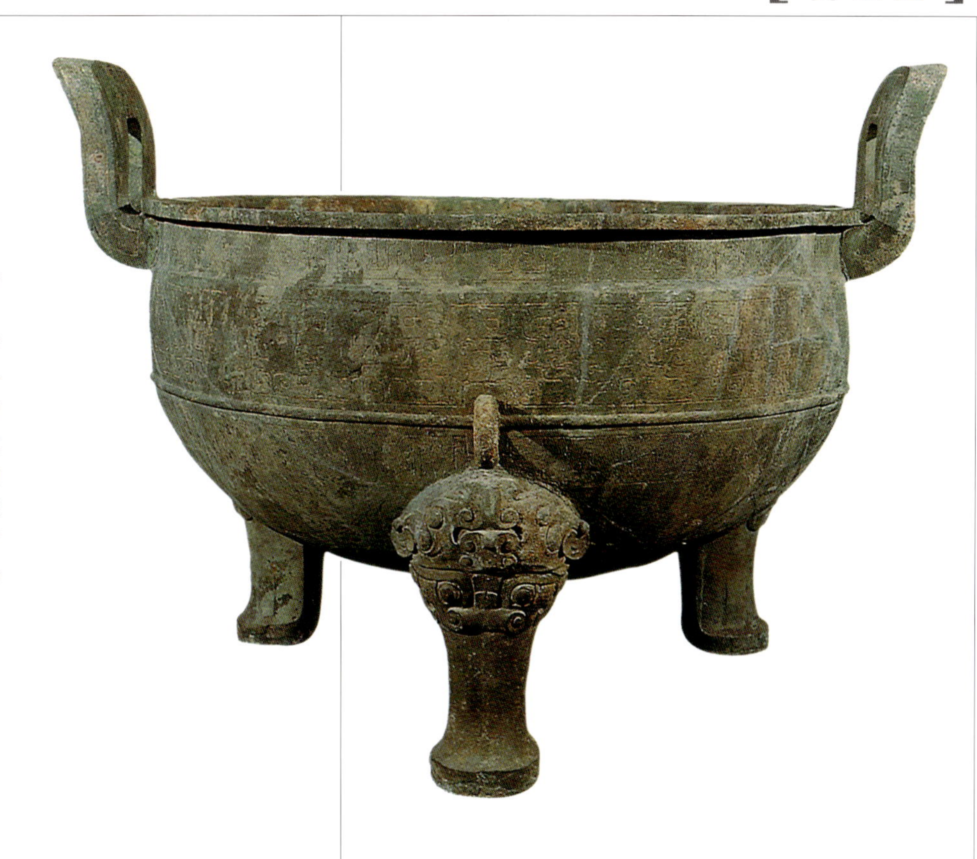

夔龍鳳紋鼎

東周

山西太原市金勝村出土。

高104、口徑104厘米。

鼎屬無蓋附耳鼎類。折沿，束頸，深腹、圜底，肩旁出外曲的附耳，腹下接不高的蹄足。鼎外以一道凸棱帶將其分爲上下兩段，上段飾相交的龍鳳紋與蟠螭紋，鼎耳飾淺綫的夔龍紋，鼎足飾高浮雕狀的獸面紋。該鼎造型古樸，體態巨大，是周代後期銅鼎中的巨製。

現藏山西省考古研究所。

蟠虺紋鼎

東周

山西侯馬市上馬村墓地出土。

高23.5、口徑16.5厘米。

球形體，獸蹄形三足。蓋沿置三環形鈕，正中浮雕一卧獸，周飾蟠虺紋、三角勾紋和垂葉雷紋。腹飾蟠虺紋和垂葉紋。

現藏山西省考古研究所。

蟠虺紋帶蓋鼎

東周

高34.4、口徑33.7厘米。

鼎蓋放置于鼎口上，爲防器蓋滑落，蓋緣上有三個獸面卡口，蓋頂中央六個龍首銜托圈狀捉手。頸微收束，附耳垂直，圓形平底，下腹接三獸首蹄足。鼎蓋飾蟬紋和蟠虺紋，頸部爲蟠虺紋和龍紋，腹部兩道綯索紋間填蟠虺紋，其下飾龍紋和垂葉狀蟬紋。

現藏北京市保利藝術博物館。

交龍紋鼎

東周
河南洛陽市出土。
高32、口徑25厘米。
蓋頂有圓形捉手，雙外撇附耳，三蹄足。蓋、腹均飾交龍紋，以雲雷紋襯地。腹中部凸飾繩紋一周。耳飾雲雷紋，捉手飾蟠龍紋。
現藏河南省洛陽博物館。

雲雷紋蓋鼎

東周
河南輝縣市出土。
高63.5厘米。
子口罩矮弧頂蓋，蓋面周列三環鈕。鼎口旁附耳外撇，深腹旁接三隻細高的蹄足。蓋面及上腹飾雲雷紋，紋地或有髹漆。
現藏河南博物院。

牛頭龍紋鼎

東周
山西太原市金勝村出土。
高26.5–45、口徑25.5–45厘米。
七件一組的列鼎，此爲其一。蓋器扣合如扁圓盒。弧頂蓋周設三環鈕，肩部的附耳外撇，腹側接三隻矮蹄足。蓋面和腹部均以弦紋分隔出兩層紋帶，其内填以共首雙身蟠龍紋和鳳鳥紋。
現藏山西省考古研究所。

蟠龍紋蓋鼎

東周
山西忻州市忻口村出土。
高18.5，最大徑18厘米。
子口上罩弧頂蓋，蓋頂施環鈕，周列三鴨形鈕。肩上附耳外撇，鼓腹圜底，腹側接三蹄足。腹飾凸弦紋一道，蓋面和腹肩部飾蟠龍紋。
現藏山西省忻州市博物館。

交龍紋蓋鼎

東周
河北平山縣三汲鄉訪駕莊出土。
高33、口徑33.8厘米。
弧頂蓋，蓋沿有三隻半環鈕。子口，附耳外撇，鼓腹環頂，腹側接三隻中空的蹄足。蓋面頂飾雲雷紋，蓋沿及上腹飾交龍紋，腹中部飾凸起的絢索紋，下飾垂葉雲雷紋。
現藏河北省博物館。

絢索紋鼎

東周
山西忻州市上社村出土。
高12.5，最大徑13厘米。
子口外罩圜頂蓋，蓋沿飾三環形鈕。器肩兩側施附耳，深腹外鼓，下接三隻矮小的蹄足。表面素净，衹在蓋面和器身各飾絢索紋兩道。造型和裝飾都簡潔樸素。
現藏山西省忻州市博物館。

中山王鐵足蓋鼎

東周

河北平山縣1號中山王墓出土。

高51.5、寬65.8厘米。

這是九件一套列鼎中的最大一件。蓋器相合呈扁球體。蓋呈圜頂覆鉢狀扣于器身的子口外，上立等距的三環鈕。器口內斂，鼓腹，腹微下垂，平底，肩部附耳，腹側接三隻粗大的蹄足。器表除肩腹相交處起凸弦紋一周外，其餘素面無紋飾，却在環鈕以下至器身蹄足以上的位置刻銘文爲飾。銘文共七十七行四百六十九字（含重文十、合文二），記録了中山王譻十四年鑄作此鼎和刻銘于鼎的緣由，爲迄今所見最長的戰國刻銘。銘文的文句婉轉流暢，書體秀麗工整，所記中山國趁燕國內亂奪取燕國城池一事，不見于史籍記載，有極重要的史料價值。

現藏河北省博物館。

梁十九年亡智蓋鼎

東周

高18.3、口徑17.5厘米。

蓋器相合呈扁球形，斂口，附耳，圜底，蹄足。腹飾凸弦紋一道，餘皆素面。器肩刻銘一周三十六字，記梁十九年亡智隨魏王北巡事。刻銘書體美觀，具有裝飾性。

現藏上海博物館。

韓氏提鏈蓋鼎

東周

高22.5、口徑17厘米。

器蓋相合成扁球體，蓋頂有三雲形扁環鈕。附耳，圜底，矮蹄足。提梁一端圓環套在一隻附耳中，另一端作鈎形，可鈎住蓋鈕上環鏈及另一隻附耳。器、蓋對銘，僅“韓氏”二字。

現藏上海博物館。

團花紋蓋鼎

東周

高18.2、口徑17.9厘米。

蓋器相合成扁球形。蓋面周列三隻卧獸爲鈕。肩設附耳，鼓腹圜底，下接三蹄足。蓋器均以小重環紋爲邊欄，其間飾團花紋作爲主題紋樣。

現藏故宫博物院。

重環紋匜形鼎

東周

高12.4、口徑15厘米。

折沿附耳，前端有上翹的槽形流，淺腹圜底，下接三隻上端飾獸首的器足。器腹飾凸弦紋一道，其上飾重環紋一周。

現藏北京大學賽克勒考古與藝術博物館。

帶蓋匜形鼎

東周
山西聞喜縣上郭村出土。
高6.4、口徑7.9厘米。
帶流小鼎。上罩橋形鈕的平蓋，蓋前端上翹將流口完全蓋住。器的流口上翹，兩側附耳，圜底蹄足。蓋面飾變形龍紋，腹飾凸弦紋一道。
現藏山西省考古研究所。

獸鈕小匜鼎

東周
山西侯馬市上馬村墓地出土。
高6.5、口徑8.4厘米。
平蓋中心設獸形鈕。前有虎頭流，兩側附耳，三蹄足低矮。蓋飾龍紋，腹飾竊曲紋和垂鱗紋，耳飾重環紋。
現藏山西博物院。

細孔流匜鼎

東周

河北平山縣1號中山王墓出土。

高21.6、口徑21厘米。

子口罩平頂蓋，蓋頂環列三環鈕。肩旁附耳，口部一側帶流，流有十個小圓孔。平底，腹旁附三蹄足。器表光素，僅中腹施凸弦紋一道，腹部刻銘五字。

現藏河北省文物研究所。

召伯鬲

東周

高12、口徑16.5厘米。

寬平折沿，鼓腹聯襠，蹄足中段收束較大，足脊扉棱如耳輪。肩部飾重環紋，腹下飾直棱紋。器內壁鑄銘八字。

現藏北京大學賽克勒考古與藝術博物館。

附耳素面鬲

東周
河南三門峽市上村嶺虢國墓地出土。
高19.2、口徑20厘米。
寬折沿，附耳帶雙梁，矮聯襠無足根。器表素面無紋。
現藏河南省文物考古研究所。

帶蓋素面鬲

東周
河北平山縣出土。
高16.7、寬16.5厘米。
蓋器扣合後形成寬厚唇部，尖頂蓋，蓋沿立三個抽象的獸形環鈕。器束頸鼓腹，分襠三柱足。器表素面無紋。
現藏河北省文物研究所。

蟠虺紋鼎形鬲

東周
山西渾源縣李峪村出土。
高18.9、口徑17.5厘米。
弧頂蓋罩于子口上，蓋頂有環鈕，周列立體卧虎形鈕三個。附耳略曲，聯襠近平，三足收束。蓋面施寬平弦紋一道，器身施窄凸弦紋一道，蓋面及器肩飾細密蟠虺紋，腹飾垂葉紋。
現藏上海博物館。

蟠龍紋鼎形鬲

東周
高16.5、寬20.5厘米。
穹頂蓋面分列三隻碩大的卧虎，虎口及蓋頂中央的鈕内都嵌圓環。附耳外曲，肩腹間以凸弦紋爲界欄，聯襠圜底，蹄足粗矮。蓋面及器身各飾兩周蟠龍紋，耳側飾綯紋。
現藏美國華盛頓賽克勒美術館。

蟠龍紋鬲

東周
山西太原市金勝村大墓出土。
高11、口徑14.4厘米。
一組共六件，選其一。折沿束頸，鼓腹平襠，三足粗矮。器身飾三龍形扉棱，扉棱間飾雲雷紋地的蟠龍紋。
現藏山西省考古研究所。

綯索紋鬲形敦

東周
高15、口徑14.5厘米。
弧頂蓋罩與器的子口上，蓋面置三隻卧獸鈕，一虎噬人，一虎銜猪，一爲幼象。器身爲聳肩平襠，蹄足粗矮，肩兩側有鋪首鈕。蓋、肩和腹部各飾一道波綫扭結而成的綯索紋。
現藏北京市保利藝術博物館。

蟠龍紋分體甗

東周

山西太原市金勝村大墓出土。

高29.5厘米。

甑、錡分鑄後套合。甑爲圓盆形，方唇圈足，底部開放射狀箅孔。鬲爲錡形，子口插在甑部圈足内，圓盒形體，下接三蹄足。甑和錡的肩部均對置銜環鋪首。甑部飾兩道凸弦紋，其間飾共首雙身蟠龍紋；錡腹部有凸弦紋一周，其上也飾共首雙身蟠龍紋。這是東周時期新型銅甗的最早樣例。

現藏山西省考古研究所。

蟠虺紋分體甗

東周

山西昔陽縣閻莊民安村出土。

高41.3厘米。

甗、鬲分鑄套合。甑爲束頸、附耳、圈足的深腹盆形，平底設十字輻射狀箅。鬲爲直子口、聳肩、聯襠形，柱足粗短，肩置環耳。甑壁中間和鬲的肩部各施凸弦紋一道，甑的凸弦紋上下各飾蟠虺紋帶一周。

現藏山西省昔陽縣博物館。

弦紋甗

東周

河北平山縣出土。

高62、寬44厘米。

甑、釜合體，以子母口相套合。甑、釜肩部均有二獸首銜環鋪首。甑底部密布細長箅孔，釜圈足有三等距支釘。

現藏河北省文物研究所。

夔龍紋方甗

東周

河南三門峽市上村嶺虢國墓地出土。

高38.9、口長26、寬21.7厘米。

甑、鬲分體。甑部呈長方的斗形，口沿外撇，平底有箅孔。鬲部爲平折沿，直頸附耳，聯襠四蹄足。甑壁上下飾圓點紋，其間飾捲身夔龍紋；鬲部飾浮雕獸目，整個鬲部給人以四個象首的感覺。

現藏中國國家博物館。

董矩方甗

東周

山西聞喜縣上郭村出土。

高37.5厘米。

聯體甗型。甑部呈上大下小的長方斗形，上有立耳，凸平底上有長方孔。鬲部呈平聯襠四蹄足形，肩有雙提耳。甑外壁飾夔龍紋。

現藏山西省考古研究所。

虎形竈

東周

山西太原市金勝村大墓出土。

高160、寬46厘米。

由竈、釜、甑、烟囱四部分組成。竈作虎首形，半圓形竈口即虎口，烟囱可視爲竪立的虎尾。虎背有圓形竈眼，上置覆盆形釜，釜的子口插在盆形甑的圈足内，烟囱由三節圓筒組成。竈體兩側有環鏈，釜和甑的兩側有銜環鋪首。竈口上飾大浮雕虎面，釜飾蟠虺紋，甑飾蟠龍紋。

現藏山西省考古研究所。

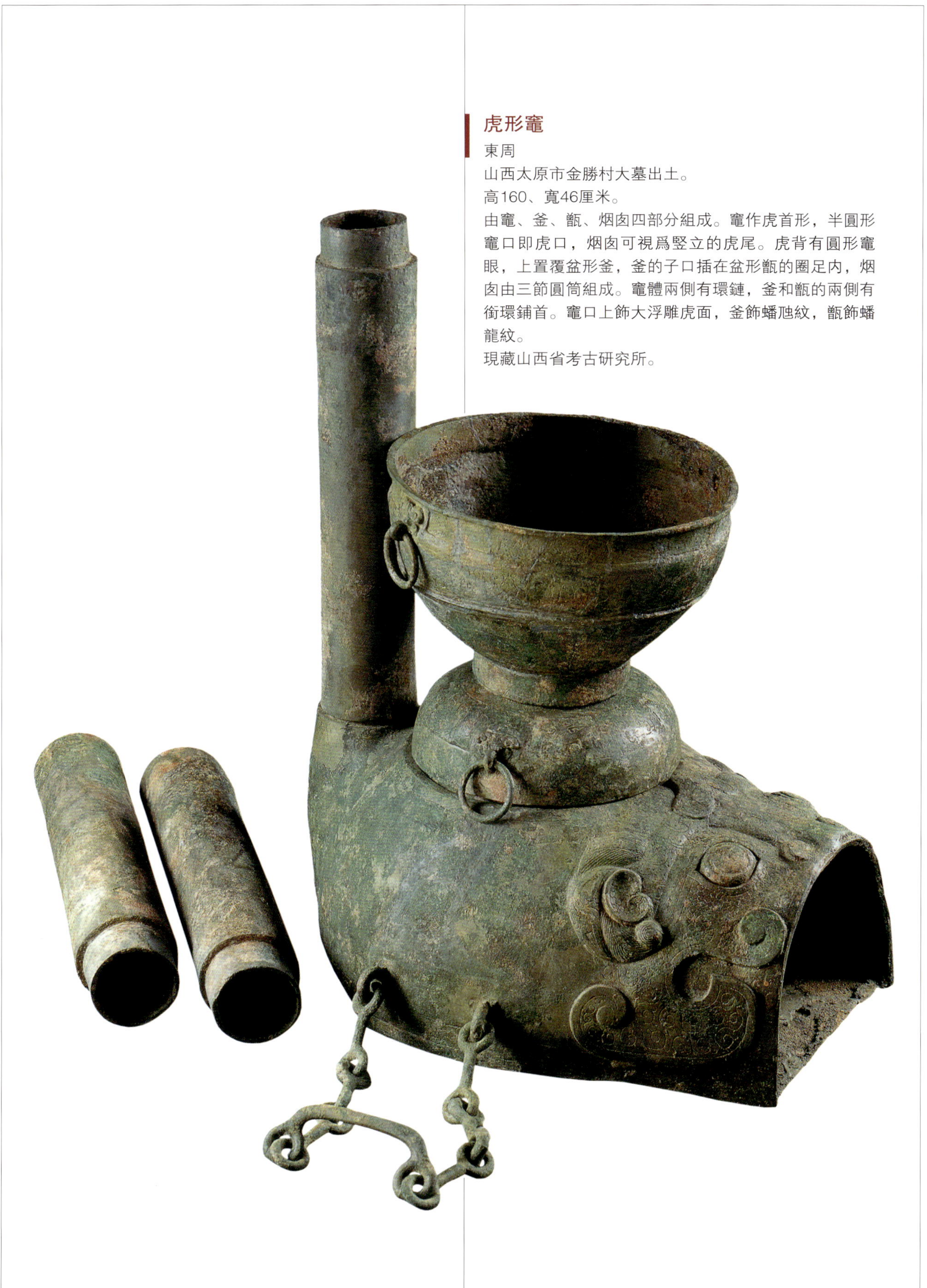

竊曲紋簋

東周
河南新鄭市金城路出土。
高23.6、口徑19.5厘米。
圈頂捉手的簋蓋罩于子口上，斂口鼓腹，腹對置獸首形鋬，圈足下接三隻獸形小扁足。蓋沿與器肩飾竊曲紋，圈足飾變形獸面紋，餘飾橫瓦紋。
現藏河南博物院。

竊曲紋簋

東周
河南輝縣市出土。
高22.4、口徑19.5厘米。
圈頂簋蓋罩于子口外，斂口鼓腹，雙鋬微翹，圈足下的三小足較寬且足端外折，給人以穩定之感。蓋沿和器肩飾竊曲紋，蓋面和器腹飾橫瓦紋。
現藏河南博物院。

蟠龍紋方座簋

東周

河南輝縣市出土。

通高26.6、口徑20.1厘米。

蓋頂有圈狀捉手，蓋唇與器唇相對。深腹圈足，腹側無鋬，圈足下連方座。蓋面及器身上部飾變形蟠龍紋，圈足有四個菱形鏤孔，座飾蟠虺紋。

現藏河南博物院。

鳥紋方簋

東周

河南洛陽市出土。

高21、口長18.8厘米。

方體深腹接兩段式高圈足，儘管器物并不精緻，却給人以古樸和高等級禮器的感覺。口沿四角伸出的扉棱頭，保留了商末周初銅器高等級禮器的遺意。器腹飾兩層倒置的鳳鳥紋，圈足飾簡體獸面紋，腹與圈足的紋飾風格全然不同。這是罕見的銅簋樣式。

現藏河南省洛陽博物館。

商丘叔瑚

東周

高17.2厘米，口长27.3、宽22.2厘米。

盖、器的造型和纹饰相同。四壶门形圈顶和圈足，四面斜壁至口沿，两侧盖面施兽首形耳。盖顶饰双头龙纹，四坡及圈顶和圈足饰窃曲纹，腹饰捲云形夔龙纹。盖、器同铭，共十七字。

现藏上海博物馆。

蟠虺紋瑚

東周

山西太原市金勝村大墓出土。

高20、長35.6厘米。

兩件成對，此爲其一。蓋器相對，可倒置，蓋長邊各有二卡扣。器體較長，凸唇直口，直壁斜腹，平底平頂，底（頂）邊轉角處設外侈的矩尺形足。蓋和器的短邊設獸首裝飾的半環耳。通體飾細密的蟠虺紋。

現藏山西省考古研究所。

環鈕鍬

東周

河北平山縣1號中山王墓出土。

高19、長30.1、寬20.8厘米。

蓋罩于器口外，蓋、器造型不同。盝頂形蓋，四坡長而四壁短，蓋頂四角立扁環鈕。器身四壁長而四坡短，兩側對置環形耳，器底四角各有曲尺形足，兩側足間壼門有垂葉。

現藏河北省文物研究所。

夔鳳紋豆

東周

山西太原市金勝村大墓出土。

高19、口徑18.4厘米。

凸沿、淺盤、平底，底接上部鼓起的高喇叭形柄。盤壁飾夔鳳紋，圈足飾綯索紋。

現藏山西省考古研究所。

平盤蓋豆

東周

河北平山縣1號中山王墓出土。

高25、直徑19厘米。

一對兩件，選其一。直壁平頂蓋覆罩在豆盤之外，平頂有三雲形環鈕。豆爲淺盤平底，下承實心的細高柄，柄下端外張成喇叭形，外壁刻“左使庫工㬎”五字。

現藏河北省文物研究所。

蟠虺紋豆

東周

山西太原市金勝村大墓出土。

高21.3、口徑18.4厘米。

腹豆形蓋罩于器身子口外，蓋上有圈形捉手，器身兩側施環耳，圜底下接細矮的豆柄。捉手飾三角雲紋和綯索紋，蓋面和器身蟠虺紋。

現藏山西省考古研究所。

四虎鋬蓋豆

東周

山西渾源縣李峪村出土。

高26.6、口徑18.6厘米。

豆蓋與豆腹相合形近球形，蓋沿有四個突起的小獸面蓋卡，頂有矮柄圈狀捉手。器身斂口短頸，腹外爬着四隻頭上尾下的虎形鋬，腹底承以中長的細柄圈足。器身共飾周帶狀紋飾九道（弦紋不計），自口沿至柄足依次爲斜角雲紋（二道）、蟠螭紋、單索紋、單螭紋、垂葉紋，以及立葉紋、糾索紋和連體式龍目紋。蓋豆一對兩件，另一件藏上海博物館。它們是晉文化銅豆中最爲精美的作品。

現藏美國紐約大都會博物館。

變形蟠龍紋豆

東周

河南輝縣市出土。

高41.5、口徑35.2厘米。

造型特别。蓋頂六撐環形捉手、身側外撇的兩附耳都是銅鼎常見的做法，圈足上施四個菱形孔也較少見。穹頂蓋面和器身均施直轉的蟠龍紋，并有雲雷紋襯地。

現藏河南博物院。

錯金竊曲紋蓋豆

東周

山西長治市分水嶺126號墓出土。

高19.2、口徑17厘米。

覆豆狀蓋罩于器的子口外，上出外撇矮圈足形捉手。器口微收，鼓腹圜底，下接外撇的矮豆柄，肩部施兩個對稱的環狀耳。器表遍飾錯金紋飾，蓋的捉手在柿蒂紋心的周圍繞以連螭紋和斜角雲紋，蓋盤及豆盤各飾竊曲紋兩周，圈足上施垂葉紋和斜角雲紋。作爲主題紋樣的竊曲紋已高度簡化變形，狀如行雲流水，故多稱之爲“雲紋”。

現藏山西博物院。

菱格紋蓋豆

東周
山西原平市練家崗出土。
高26、口徑17厘米。
豆狀蓋覆罩在器身子口上，蓋頂有圈狀捉手。豆盤兩側對置環耳，圜底下承以亞腰形豆柄。捉手與圈足飾蟠龍紋，蓋沿與器身飾菱格紋和垂葉紋。
現藏山西省原平市博物館。

嵌錯狩獵紋豆

東周
山西渾源縣李峪村出土。
高20.9、口徑17.2厘米。
器身子口上罩覆碗形蓋，蓋頂置圈狀捉手。腹如半球形，對置環耳，器底接較細的喇叭形柄。蓋面、器身和豆柄均以紅銅嵌錯狩獵紋，禽獸種類多樣，簡練生動。
現藏上海博物館。

方座蓋豆

東周

河北平山縣1號中山王墓出土。

高26厘米。

一對兩件，選其一。蓋罩于器身子口上，蓋頂施圈狀捉手。器身兩側施環耳，束腰圓柄下有盝頂方座。座壁一側刻“左使庫工弧”五字。

現藏河北省文物研究所。

蟠虺紋方座豆

東周

山西太原市金勝村大墓出土。

高17.6、口徑16.9厘米。

一組四件。斂口短斜頸，鼓腹圜底，腹旁等距置四環耳，矮豆柄下接矮方座。頸飾綯索紋，盤壁飾蟠虺紋帶兩道，其間界以綯索狀凸弦紋，方座壁飾頭尾相連的回首夔龍紋。

現藏山西省考古研究所。

獸座豆

東周

河南三門峽市上村嶺虢國墓地出土。

高29、口徑15.2厘米。

作立獸背馱粗柄豆的造型。豆作斂口平底粗圈足型，有西周中晚期豆的意味。獸的形態難辨其種類，身軀長而四足細矮，造型雖非上乘却屬罕見的器類。豆盤外壁飾斜角夔龍紋，獸體以雲雷紋爲主，四肢飾鱗紋。

現藏中國國家博物館。

鑲嵌綠松石雲紋方蓋豆

東周

河南汲縣山彪鎮1號墓出土。

高24.5、口寬12.5厘米。

蓋、器均呈方斗形。蓋頂有矮小的圈狀捉手，器底承以不高的矮圈足柄。通體飾鑲嵌綠松石的雲紋。

現藏河南博物院。

蟠虺紋敦

東周

河南輝縣市出土。

高18、口徑17.5厘米。

蓋罩在器身子口外，蓋器相合呈扁球形。蓋頂上置三環鈕，器肩對置環耳，下接三隻蹄形小足。蓋面飾蟠虺紋帶三道，器身施凸弦紋一道，上下各飾蟠虺紋帶一道。

現藏河南博物院。

鳥尊

東周

山西太原市金勝村大墓出土。

高25.3、長33厘米。

器的造型爲一昂首挺立之鳥。器腹中空，鳥背附一虎形鋬，鋬下的鳥背開一橢圓形口，口上有蓋，蓋鈕的環鏈與鋬相連。鳥喙下部固定，上部可自由開合，傾斜時器内的液體可將鳥喙衝開流出。鳥的兩足趾間有蹼，鳥腹後部有一虎形支脚。鳥盉通身飾羽毛紋和垂鱗紋。此器設計獨具匠心，製作十分精緻，是當時晋都新田銅器作坊的代表作。

現藏山西省考古研究所。

子乍弄鳥尊

東周

傳山西太原市出土。

高26.5、寬22.8厘米。

器作站立的鷹形，截鳥首爲蓋，套合後相連成一體。器腹中空，鷹頭的尖喙上部可開合，可以當流傾注酒水。鷹的雙足與腹後部的支足形成三個穩定的支撑，後面的支足已經缺失。鷹的外表以綫刻劃細部，頭部主要填以麻點，頸、肩和腹部飾以夔龍，兩翼和尾部以重環紋爲邊，然後滿布羽毛紋。鳥頭後頸處有錯金的“子乍弄鳥”四字。此盉或稱鳥尊、鳥壺，但蓋器鳥頸處的開口衹是裝填酒水之用，鳥喙才是取用酒水的開口。從該器用法來看，它與盉更加相似。這是晋國鳥獸造型銅器的精品。

現藏美國華盛頓弗利爾美術館。

犧尊

東周
山西渾源縣李峪村出土。
高33.7、長58.7厘米。
尊作鼻上套環的牛形。牛腹中空，頸、腹、臀部各有一矮筒形口，原先應套有甑等器物。通體飾由蟠龍紋、蟠虺紋組成的獸面紋多個，牛頸及器口下還有浮雕狀虎、犀等動物。此器嚴格地説應屬于炊器中异形甗的下半部，有點類似殷墟婦好三聯甗。
現藏上海博物館。

虎尊

東周
河南新鄭市李家樓出土。
長53.3厘米。
尊爲立虎的造型，背部開圓口，設蓋，蓋鈕以環鏈與好似上翹虎尾形的鋬相連，虎口圓張爲流。虎額有短扉棱，眉和四足飾鱗紋。
現藏臺灣省“臺北國立歷史博物館”。

錯金銀貘尊

東周
江蘇漣水縣三里墩漢墓出土。
高27.7、長41.8厘米。
造型呈站立的貘形。貘背上開圓口罩蓋，貘口似有流孔，可以傾倒酒水。頸有鎏金鼓泡的項圈，短尾下垂。通身以金銀和紅銅嵌錯雲紋圖案，并鑲嵌有緑松石。
現藏南京博物院。

鑲金錯銀貘尊

東周
河北平山縣1號中山王墓出土。
高28、寬16厘米。
造型呈站立的貘形。貘背上開圓口，口罩卧雁形蓋。貘口開孔，可以作流傾倒酒水。頸有項圈，短尾下垂。獸眼鑲緑松石，通身以金銀和紅銅等嵌錯雲紋圖案。器蓋雁鵝形，長頸反轉作爲蓋鈕，設計頗爲巧妙。
現藏河北省文物研究所。

蟠龍紋罍

東周
高26.7厘米。
小口短頸，圓肩微聳，肩兩側對置套環的獸首耳，平底内凹。器頸以下爲四層反轉雙頭蟠龍紋，龍紋粗放，有竊曲紋的意味。其中最下層的龍紋二頭相對，組成共首雙身龍紋的模樣。
現藏美國舊金山亞洲藝術博物館。

蟠龍紋罍

東周

河南新鄭市李家樓大墓出土。

高41、口徑29.5厘米。

小口外侈，短頸，扁圓形體中有一道寬大的凸弦紋，好似上下兩半截器體拼接而成一樣。肩部對稱設置立體的龍虎耳四個，頭朝上的龍身截面爲長方形，頭朝下的虎身截面呈橢圓形，龍口向器口而虎口銜圓環，具有呼應和變化。罍的肩部在四組器耳肩各飾一個帶雲氣紋的圓渦，圓渦旁飾雲氣紋襯托的蟠龍（蛇）紋。腹部有細雲雷紋地的勾連雲紋，其下飾三角垂葉紋。上下的紋飾在協調中也有變化。

現藏中國國家博物館。

夔鳳紋罍

東周
山西太原市金勝村大墓出土。
高36.3、口頸17.2厘米。
小口短頸，廣肩圓腹，平底。肩部有相對布設鋪首銜環耳和環耳套環各一對，環耳上有立體的獸面。器表滿布淺浮雕似的花紋，頸飾夔鳳紋帶，肩與上腹飾蟠龍紋帶，下腹飾竊曲紋，其下施對龍紋垂葉，紋帶間界以綯索紋。
現藏山西省考古研究所。

繩絡紋罍

東周
山西長治市分水嶺出土。
高30.5、口徑7厘米。
折沿直頸，廣肩圓腹，圈足低矮。肩上對列兩隻回首虎形耳，耳內套圓環。器身以繩絡紋爲方格，格内填以蟠虺紋。
現藏山西博物院。

龍耳繩絡紋罍

東周
河南輝縣市出土。
高40.6厘米。
侈口折沿，直頸較高，圓肩鼓腹，圈足較矮。肩兩側設回首龍形耳，耳内套環，兩耳間飾鳥獸形扉棱。器的肩腹以繩絡紋爲套，其間飾散布着圓圈紋的蟠虺紋。
現藏河南博物院。

錯銅勾連雷紋罍

東周
高22.5、口徑10.8厘米。
蓋置三雲形鈕，器身肩部有鋪首銜環耳一對。蓋頂與器身紋飾均以錯銅弦紋爲欄，欄間飾勾連雷紋帶。
現藏北京市保利藝術博物館。

錯金蟠虺紋方罍

東周

河南三門峽市上村嶺出土。

高32、口徑15.6厘米。

器身作侈口捲沿，直頸折轉，廣肩圓折，中腹直下，下腹圓，平底圈足之形。器口内套盝頂形蓋，蓋之四角立雲形冀，四冀的角尖正與器口四角内沿相值。器蓋製作極精，表面有如後世的“黑漆古”，疑其曾經髹漆。蓋面金錯對捲雲紋、三角雲紋和勾連雲紋。器身頸部四面中央原有圓形鑲嵌飾件，兩旁金錯勾連雲紋。肩腹部四角及四面均飾如箍的寬帶，帶上以細金絲錯成對角雲紋，箍帶間鑄蟠虺紋。圈足也以金錯三角雲紋爲飾。方罍的造型矮胖，紋飾以銅榼常用而其它器類基本不用的寬箍帶爲構圖單元，這在銅器中均較爲少見。出土時内附一長柄勺。

現藏河南博物院。

垂鱗紋貫耳壺

東周

高41、寬29.5厘米。

小口短頸，亂形長腹，肩兩側設獸首形貫耳，下腹一側另置一環耳。器頸和下腹素面，中腹束寬弦紋一道，其餘器表滿布垂鱗紋。

現藏美國華盛頓賽克勒美術館。

鳥獸龍紋壺

東周

山西渾源縣李峪村出土。

高44.2、口徑16.5厘米。

敞口曲頸，斜肩鼓腹，下接圓臺形圈足。頸部原有獸形耳，已脱落遺失。器表滿布花紋，從上至下有四個主紋帶，除下腹爲銜龍獸面紋外，其餘都是夔龍與人首鳥體怪獸糾結的鳥獸紋。在主紋帶間，還以浮雕走獸和虎食人的窄紋帶相區隔。此外，下腹飾浮雕狀雁鵝紋，圈足飾絢索紋。

現藏上海博物館。

綯索龍紋壺

東周

傳山西渾源縣李峪村出土。

高44.6、寬26.6厘米。

侈口、曲頸、曲腹，下接兩段式圈足。頸側對置回首獸形耳。器身外表以五道綯索紋分爲六個紋帶，除上下紋帶分别是蕉葉紋和垂葉紋、腹部主紋帶爲浮雕狀獸面紋外，其餘紋帶都是浮雕狀的蟠螭紋。此外，圈足也分别以蕉葉紋和變形龍紋爲飾。此壺造型沉穩簡練，紋飾精美細膩，是晉國新田風格銅器的代表作之一。

現藏美國華盛頓弗利爾美術館。

虎耳蟠龍紋壺

東周

高44.5、口徑14.8、腹徑23.6厘米。

壺蓋中空，蓋沿向外平折。侈口曲頸，垂腹下接大圈足，頸部有對稱回首虎形耳。蓋沿飾鏤空的蟠龍紋，壺身在四道絢索凸弦紋的界欄間飾三道蟠龍紋帶，頸部和下腹飾垂葉紋。

現藏北京市保利藝術博物館。

嵌錯狩獵紋龍耳壺

東周

高46.4、寬24.1厘米。

壺蓋與器字母口相合，蓋分上下兩段，上面的蓋冠極度外侈，好似屋檐。壺體瘦長，侈口曲頸，鼓腹圈足，兩段式圈足，肩對置回首獸形耳。通體嵌錯狩獵紋，蓋壁和器口、頸、肩、腹各有一道斜角雲紋帶作分隔。

藏美國舊金山亞洲藝術博物館。

令狐君嗣子壺

東周
河南洛陽市金村出土。
高46.5、口徑14.8厘米。
壺口內套圈頂蓋，蓋沿上有六個鏤孔蕉葉飾。器身爲短頸、圓肩、鼓腹，底接直圈足，肩對置銜環鋪首。蓋沿飾蟠虺紋，器身飾蟠虺紋帶五道。頸有銘文二十三行五十字，記令狐君嗣子作器事。
現藏中國國家博物館。

蟠龍紋壺

東周
山西長子縣牛家坡出土。
高41.4，腹徑27.8厘米。
淺弧頂蓋，蓋面周飾三環鈕。器爲曲頸、鼓腹、矮足，兩側對置鋪首銜環。蓋面及圈足飾綯索紋，頸飾龍紋蕉葉，腹飾綯索紋相間的三道蟠龍紋。
現藏山西省長子縣博物館。

嵌錯紅銅龍鳳紋壺

東周

高55.9厘米。

壺口上有弧頂蓋，蓋周飾四個環鈕。頸部微曲，鼓腹較長，矮圈足較大，肩部對置銜環鋪首。通體以紅銅嵌錯花紋，壺身以大致連續的亞腰紋分隔成長方格，格内填以不同形態的龍紋和鳥紋。

現藏美國舊金山亞洲藝術博物館。

狩獵紋壺

東周

河南洛陽市西工中州路出土。

高39.5、口徑11厘米。

侈口曲頸，溜肩鼓腹，圈足較直，肩兩側對置銜環鋪首。器通體以大致連續的亞腰紋爲界欄，其内填以畫像般的狩獵紋，頸飾怪鳥紋，足飾菱格紋。

現藏河南省洛陽博物館。

嵌錯紅銅鳥獸紋壺

東周

高46.6、口徑13.6厘米。

弧頂矮蓋上有四個環鈕。壺口微侈，圓肩長腹，底接直圈足。肩飾銜環鋪首一對。通體錯嵌紅銅的紋飾，器身以大致相連的亞腰紋爲界欄分爲若干單元，其内分别飾以行龍紋、鳥獸紋和捲雲紋。

現藏北京市保利藝術博物館。

絡帶狩獵紋壺

東周

高39.4厘米。

侈口斜頸，圓肩鼓腹，垂直圈足，肩部對置環鈕銜環。器表頸部以下以絡帶紋爲單元，其内填以狩獵紋，頸飾對鳥紋，圈足飾斜方格紋。

現藏美國舊金山亞洲藝術博物館。

蟠龍紋貫耳鉀

東周

河南輝縣市琉璃閣出土。

高34.2、口長8.9厘米。

橢方形體。口插平頂蓋，蓋中有環鈕。器爲直口、鼓腹、平底，肩中部對置貫耳，耳下有立體的獸形飾。蓋面有浮雕狀龍紋，蓋沿飾竊曲紋，器腹以絢索紋將紋飾部分劃分爲三層，上兩層飾蟠龍紋，下層飾波曲紋，中層還有浮雕狀的卧牛、立鳥、伏虎作裝飾。

現藏河南博物院。

嵌紅銅鳥獸壺

東周

高39.2、寬27.7、口徑12.9厘米。

小口、束頸、鼓腹、圈足，肩部對置鋪首銜環。口下和圈足飾斜角雲紋帶，腹部飾鳥獸紋的主題紋樣兩周，其上都界以斜角雲紋的邊欄，主題紋樣上下都有由相對夔龍紋組成的花瓣紋和垂葉紋。這些紋樣原先都以紅銅嵌錯，相當美觀。

現藏故宫博物院。

夔龍鳳紋壺

東周

山西潞城市潞河墓地出土。

高57、口徑10.5厘米。

矮圓臺形蓋插入器口，蓋頂環鈕套環鏈與頸部的小銜環鋪首相連。壺的短頸不外侈，整體造型近似卵形，底置綯索狀矮圈足。頸肩之間設一對較大的銜環鋪首，頸部和下腹還有多個較小的銜環鋪首。蓋面飾雲紋，壺身以横瓦紋（或加綯索紋）分層，每層分别飾以夔龍紋或鳳鳥紋。

現藏山西省考古研究所。

嵌錯走獸紋壺

東周

山西渾源縣李峪村出土。

高32.8、口徑10.3厘米。

壺口内套弧頂蓋，器身爲曲頸、鼓腹、矮圈足之形，蓋沿與器肩均對置二環鈕銜環，下腹後面另有一環形鼻。蓋、器均飾以紅銅鑲嵌走獸紋。

現藏中國國家博物館。

雲雷紋提梁壺

東周

河南輝縣市固圍村出土。

高37.8、口徑10.2厘米。

傘狀蓋，蓋周四個小銜環鋪首獸首，蓋頂環鈕套環鏈與提梁相連。直口、鼓腹、矮圈足，頸部也設四個小銜環鋪首獸首與蓋相應，肩對置銜環鋪首以繫提梁的環鏈，提梁作雙頭蛇形。蓋面以雙凸綫的寬帶紋爲界欄，其内以麻點紋爲地，襯托可能是龍蛇簡化的雲紋。器肩另有綯索紋寬帶一道。

現藏中國社會科學院考古研究所。

中山嗣王壺

東周

河北平山縣1號中山王墓出土。

高44.5、寬32厘米。

蓋近尖頂形，上立三個環鈕。器口斜侈，短曲頸，圓鼓腹，底接臺形矮圈足，肩部有對稱的銜環鋪首。器表僅在腹部中段施凸弦紋兩道，其間刻銘文五十九行一百八十二字（含重文五）。銘文稱頌了先王的功烈，表述了自己的孝行，記述了司馬賙（即相邦賙）率師略燕的事迹。銘文字體修長，用筆流暢，具有强烈的裝飾意味。該壺年代根據文獻及銅器銘文，當在齊破燕之役後（公元前314年），趙破中山前（公元前301年）。它爲戰國銅器研究增添了一件年代明確的標準器。

現藏河北省文物研究所。

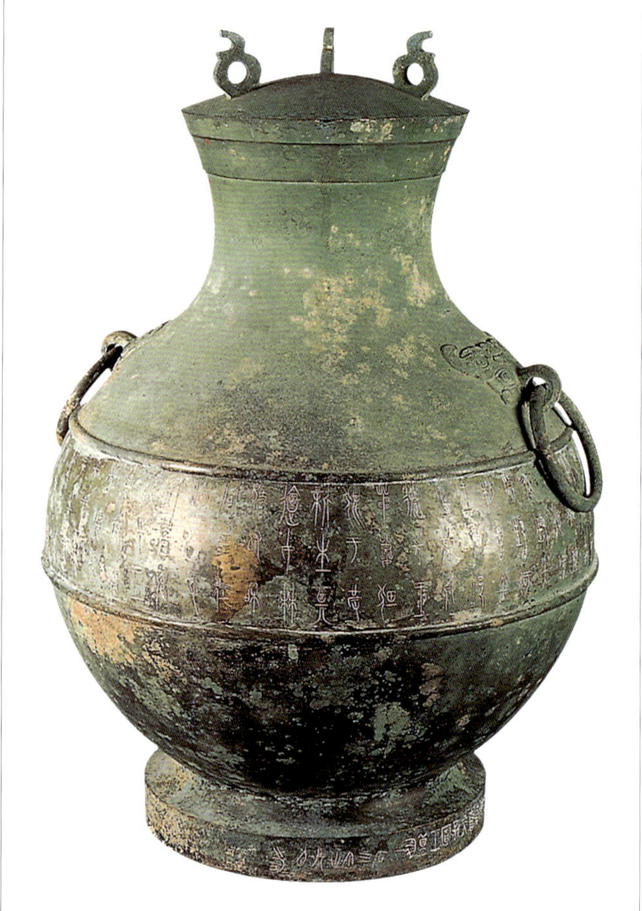

嵌錯射儀攻戰紋壺

東周

高40.7、寬24.6厘米。

侈口、曲頸、溜肩、鼓腹、矮圈足，肩兩側有銜環鋪首。器表以色澤紫紅的銅嵌錯各種圖案，紋飾以斜角雲紋帶分隔爲三層：上層爲采桑、習射兩組圖畫；中層左側爲宴樂場面，右側爲射雁及射侯之景；下層左爲攻城的陸戰畫面，右爲使船的水戰畫面。這些圖案生動地反映了當時崇尚農戰的時代風氣和社會生活的一些場景。現藏故宮博物院。

錯金銀鳥紋壺

東周

高12.8、寬9.1厘米。

侈口曲頸，弧肩圓腹，兩段式圈足。肩兩側設銜環鋪首，其中一環已失。器口、器肩和器腹各有一道寬帶紋，腹部寬帶作凸弦紋三道，其間的頸、肩和腹部都飾以錯金銀的捲雲形鳳鳥紋。

現藏美國華盛頓賽克勒美術館。

提鏈圓壺

東周

河北平山縣1號中山王墓出土。

高32.6、寬21.4厘米。

傘形蓋，蓋頂環鈕套環鏈與提鏈相連。器爲侈口曲頸，圓肩鼓腹，兩段式圈足，肩兩側置銜環鋪首，環套環鏈與提梁相連，提梁上有龍首虹形提手。通體素面，圈足外刻"三祀，左使庫"等銘文二十三字，記製作時間、製作者及器重。

現藏河北省文物研究所。

帶流壺

東周

高38.3、口徑17.9厘米。

除口部一側有流外，整體造型與通常銅壺無异。壺口前端有上翹的槽型流，短頸圓腹，兩段式圈足。肩部兩側和下腹後側都有銜環鋪首，使用時扶持兩側環耳并提起後側環耳，就可以傾注酒水。

現藏故宫博物院。

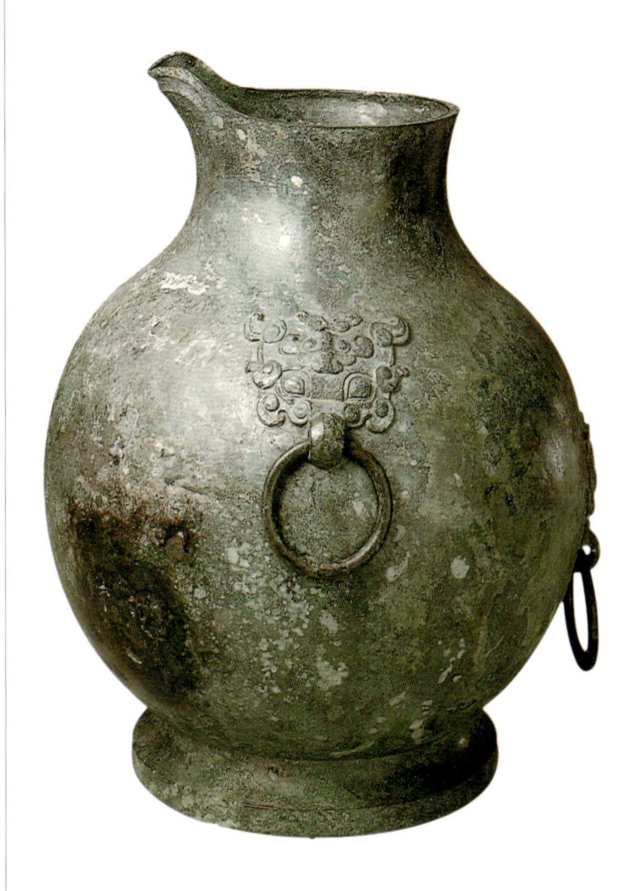

嵌錯紅銅龍紋壺

東周

河南輝縣市琉璃閣出土。

高52.8、口長13.5厘米。

壺的小口上置平板蓋，蓋面中立小環鈕。器的整體造型近似卵形，直口、短頸、長腹、平底，肩和腹兩側置半環耳，腹後側另有一環爲鼻。頸飾象紋和對鳥紋，腹部以紅銅嵌錯回首行龍紋和菱形紋。

現藏河南博物院。

魚形壺

東周

高32.5、寬18厘米。

整體造型如同一條頭上尾下的鯉魚。魚口大張爲器口，魚腹圓鼓可有相當的容量，魚尾展開作爲圈足。魚的背脊有鰭，脊背和上腹有相對的鋪首銜環。器表除了圈足和背脊有仿照魚尾和魚鰭的紋道外，其餘部分不施任何紋飾。壺的造型構想富于創造，表現手法逼真自然，在銅壺中當推第一。

現藏故宫博物院。

蟠虺紋匏壺

東周

高38、寬13.4厘米。

壺的整體造型如同一隻歪長頸的葫蘆。蓋呈簡化的鳥形，喙已成圓管流，蓋後有殘缺的環鈕，原應有環鏈與器鋬相連。壺身瘦高，小口曲頸，垂腹平底。腹後一側有兩環鈕，鈕内套弓形鋬。壺蓋和鋬都缺乏裝飾，衹在壺身上飾蟠虺紋帶三道。

現藏美國華盛頓賽克勒美術館。

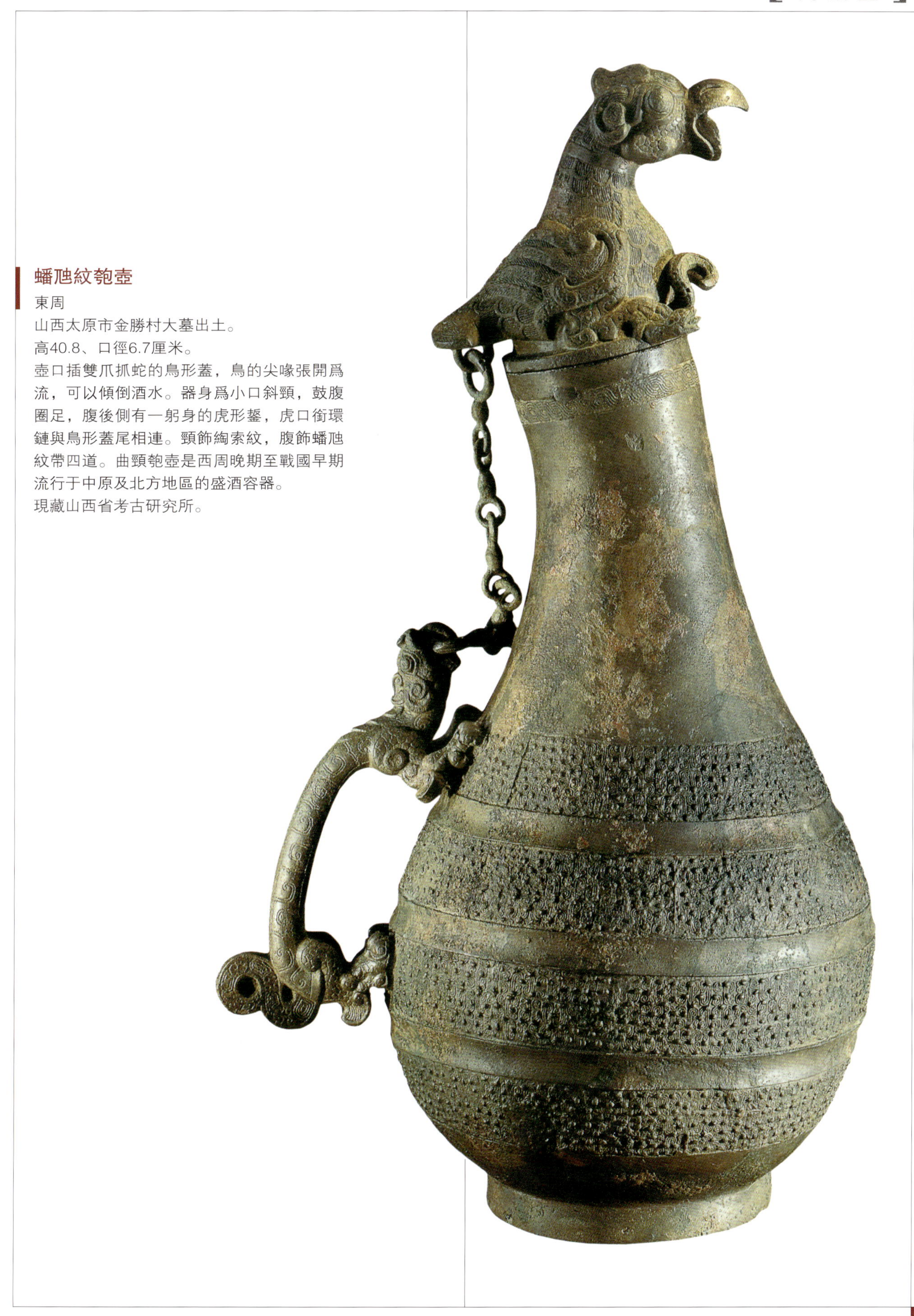

蟠虺紋匏壺

東周

山西太原市金勝村大墓出土。

高40.8、口徑6.7厘米。

壺口插雙爪抓蛇的鳥形蓋，鳥的尖喙張開爲流，可以傾倒酒水。器身爲小口斜頸，鼓腹圈足，腹後側有一躬身的虎形鋬，虎口銜環鏈與鳥形蓋尾相連。頸飾綯索紋，腹飾蟠虺紋帶四道。曲頸匏壺是西周晚期至戰國早期流行于中原及北方地區的盛酒容器。

現藏山西省考古研究所。

鳳鳥紋橢方壺

東周
河南三門峽市上村嶺虢國墓地出土。
高49厘米。
橢方形，圈狀捉手蓋，長頸垂腹，外撇的矮圈足，頸部有對稱的象首銜環耳。腹部以寬絡帶分爲八單元，每個單元内有正首大鳳鳥紋。捉手與圈足飾夔目紋，頸飾三角紋，蓋沿與肩部飾反首鳳鳥紋。
現藏河南省文物考古研究所。

交龍紋方壺

東周
高74、腹寬43厘米。
壺爲橢方形，器蓋周壁是器頸周壁的延伸，蓋的平頂上在鏤空花瓣中設立體的回首虎鈕。器身爲侈口曲頸，長肩垂腹，底接方臺形大圈足。肩兩側設對稱的龍首銜環耳。蓋壁和器壁滿布粗放的不同造型的雙首連體交龍紋。
現藏美國華盛頓賽克勒美術館。

蓮鶴方壺

東周

河南新鄭市李家樓出土。

高118、口長30.5厘米。

一對共兩件，另一件現藏于河南博物院。蓋舌插入器口，蓋壁由下往上逐漸隆起，蓋冠爲向上外捲的雙層透空花瓣，蓋頂立一展翅欲飛的立鶴爲鈕。壺爲侈口、粗頸、垂腹，兩段式圈足放在兩條顧首捲尾的伏龍背上。頸部兩側有透空的反首捲尾的爬龍爲耳，腹部四隅則爲四條反首龍型扉棱。器表密布各種鑄紋，蓋冠爲透空對雲紋，蓋壁爲竊取紋，器身除口沿爲素面外，其餘部分均爲細化的交龍紋，龍紋盤繞糾結，與蟠螭紋相仿佛。此壺造型複雜、紋飾精美。

現藏故宮博物院。

夔龍紋方壺

東周

山西侯馬市上馬村13號墓出土。

高84.5、口徑23.5厘米。

一對兩件，選其一。壺體瘦高，壺口納蓋。蓋壁呈弧形，蓋冠外侈。器口外侈，頸部修長，兩側有銜環獸首耳。腹部略垂，下接兩段式圈足。蓋、頸和肩部的四隅有鏤空或浮雕紋飾的扉棱。蓋、頸、腹四隅飾扉棱，蓋冠飾鏤空蟠虺紋，蓋沿飾雙綫竊曲紋，器頸飾雙綫的蕉葉紋和竊曲紋，腹部飾淺浮雕狀的交龍紋，圈足飾鏤空蟠龍紋。紋飾具有向晚期晉國“新田風格”過渡的特點。

現藏中國國家博物館。

龍耳虎足方壺

東周

河南新鄭市李家樓出土。

高93.3厘米。

一對兩件，選其一。橢方形壺，壺蓋四壁垂直，蓋冠外卷。壺爲長頸、凹肩、垂腹，頸兩側的環狀耳上各伏一回首的鏤空爬龍，底接兩段式圈足，圈足前後緣各有一卧虎。蓋冠飾鏤空蟠虺紋，蓋壁飾交龍紋，頸飾蕉葉紋和蟠螭紋，肩腹套以寬絡帶，肩部絡帶間和圈足也飾以蟠虺紋。

現藏臺灣省“臺北國立歷史博物館”。

龍耳橢方壺

東周

山西太原市金勝村大墓出土。

高66.7、口徑23.4厘米。

同出四件，此爲其中之一。蓋舌插于器口，蓋冠如花瓣外張，侈口長頸，器頸兩側對置回首爬龍耳，肩部微凹，垂腹外鼓，下接兩段式圈足。蓋冠花有瓣鏤孔蟠龍紋，頸飾蕉葉紋和竊曲紋，肩腹以寬絡帶紋分爲八區，上四區填蟠螭紋，下四軀素净無紋飾，圈足飾竊曲紋和菱形紋。

現藏山西省考古研究所。

鳥紋方壺

東周

河南輝縣市出土。

高63厘米、口長21.5、寬17厘米。

橢方壺。圈頂捉手蓋插于器口上，侈口、曲頸、垂腹、兩段式圈足，肩兩側對置套環的獸首耳。蓋壁飾交龍紋，頸飾波曲紋，腹飾鳳鳥紋，這些浮雕狀紋樣在素净的器表上顯得尤爲突出。

現藏河南博物院。

狩獵紋方壺

東周

高37.2、寬22.5厘米。

口部加厚，曲頸鼓腹，圈足略外侈，肩兩側對置銜環鋪首。器身以四道寬帶紋劃分爲五個紋帶，頸飾銜蛇鳥紋，肩飾駕車狩獵紋和射獵紋，腹飾狩獵紋和舞蹈紋。圈足飾有三角紋。

現藏美國華盛頓弗利爾美術館。

嵌錯斜格蟠龍紋方壺

東周

河南陝縣後川村出土。

高53厘米。

盝頂蓋的四坡上各有一雲形環鈕。直口、鼓腹、直圈足，肩兩側對置銜環鋪首。通體以緑松石嵌錯幾何紋樣，蓋飾雲紋，器頸飾蟠龍紋，器腹與圈足飾斜格絡帶紋，内填蟠龍紋，方格間鑲嵌緑松石。

現藏中國國家博物館。

蟠螭紋方壺

東周

高48.7、口長12.4厘米。

盝頂蓋舌插于器口内，蓋的四坡上立四個龍形環鈕。壺身爲直口、鼓腹、直圈足，肩部有銜環鋪首一對。壺身頸部飾連續三角組成的蕉葉紋，肩、腹部飾四道蟠螭紋帶。

現藏北京市保利藝術博物館。

嵌錯勾連雲雷紋方壺

東周

河北平山縣1號中山王墓出土。

高45、寬22厘米。

盝頂蓋插于器口内，蓋四坡上各有一雲形環鈕。直口、鼓腹、直圈足，肩兩側對置銜環鋪首。通體以紅銅、綠松石和彩漆嵌錯幾何紋樣，蓋頂飾方格雲紋，蓋面飾斜角雲紋，器口飾連續三角紋，頸部飾工字紋，肩腹飾勾連雲紋，圈足飾交角雲紋。下腹近圈足處刻銘十六字，標識此銘爲“十四祀”所刻。對照其他器物銘文，可知其年代爲中山王厝十四年。

現藏河北省文物研究所。

中山王厝方壺

東周

河北平山縣1號中山王墓出土。

高63、寬35厘米。

壺形如鈁，盝頂狀蓋，蓋的四坡中央立雲形環鈕。器口微侈，鼓腹居中，下接兩段式圈足。肩部四角各附爬龍扉棱，腹部兩側施銜環鋪首。器表素面，壺身于頸下刻銘文爲飾。銘文每面十行共四十行四百五拾字（內含重文三、合文一），記載了中山王厝十四年，中山國趁燕內亂伐燕等事，告誡嗣王吸取燕之教訓。此壺造型優雅，是一件杰出的銅器工藝品。

現藏河北省文物研究所。

變形龍紋榼

東周

高32.4厘米。

圓形小口，器體作橢圓扁鼓形，器底接長方形矮圈足，肩兩側有銜環鋪首。四面都以寬帶紋分隔爲上下相錯的長方格，内填斜角雲紋狀的龍紋。

現藏美國舊金山亞洲藝術博物館。

魏公榼

東周

高31.7、寬30.5厘米。

小口短頸，橢圓形扁體，長方形矮圈足，肩部兩側有銜環鋪首。通體用寬帶分爲若干長方格，寬帶以紅銅嵌錯窄帶，方格内飾羽狀蟠虺紋。刻銘八字爲“魏公酟三升二斗取”。

現藏故宫博物院。

嵌錯紅銅蟠螭紋榼

東周

高34.5、口徑11.2厘米。

弧頂子口蓋，蓋面上有三個雲形環鈕。器爲小圓口，寬唇短頸，橢圓形鼓形體，下接外侈的矮圈足，肩兩側有銜環鋪首。蓋面飾弦紋兩圈，弦紋間飾勾連雷紋。器口下飾錯銅三角紋，腹部以縱橫的寬帶分爲若干方格，寬帶好似房屋的壁柱和壁穿，帶内還嵌錯紅銅，方格内飾羽狀蟠螭紋。

現藏北京市保利藝術博物館。

桃形飾榼

東周

河北平山縣1號中山王墓出土。

高45.9、寬36.5厘米。

傘形蓋插入器口，蓋沿列三個雲形環鈕。橢圓形扁腹，兩面平整而兩側呈弧形，下接長方形圈足。扁腹周邊有寬瓦溝紋一道，其上端尖收，側面看似桃形。

現藏河北省文物研究所。

錯銀勾連雲紋榼

東周

高31.2厘米。

圓形小口外侈，體作橢圓扁鼓形，器底接長方形矮圈足，肩兩側有銜環鋪首。除圈足外，通體飾錯銀花紋。頸以相補的連續三角爲邊欄，内填對雲紋，腹兩面以縱中綫爲基準飾勾連雲紋。

現藏美國華盛頓弗利爾美術館。

嵌錯圖案高柄方壺（右圖）

東周
山西太原市金勝村大墓出土。
高27.5、口徑4.4厘米。
此器上半部如同一没有圈足的銅鈁，下部如同細高的豆柄，造型非常别致。器呈方口瘦腹細高柄型。盝頂蓋四坡各有一乳突環鈕，蓋内有子母口同壺口扣合。壺身短頸溜肩，鼓腹平底，長柄上粗下細，底接圓形圈足。蓋頂飾雙龍四葉圖案，壺身飾連環菱格圖案，壺柄飾三層具有神性的鳥獸圖案。這些圖案都是先在器身鑄出凸起的紋飾，再在周圍凹下部位填嵌深褐色物質，再打磨光滑而成，原先的色彩應該相當艷麗。
現藏山西省考古研究所。

蟠虺紋鉶

東周
山西太原市金勝村大墓出土。
高8.2、口徑13.5-16.5厘米。
直口方唇，直頸略收，肩部不顯，直腹下收，圜底接矮圈足，腹兩側對置環耳。頸部和上腹飾蟠虺紋，其下有綯索紋一周。
現藏山西省考古研究所。

刻鏤射獵畫像鉶

東周

高6.2厘米、口長18.4、寬14.9厘米。

器爲橢圓形。口微斂，肩微鼓，平底，腹兩側鑄接環耳，耳内套環。外壁中間刻一建築物，有人在建築物内外宴樂，另有人在射獵；内壁刻兩座建築物，内外有人宴樂、有人弋射；内底中央刻交龍紋。

現藏上海博物館。

鳥形勺

東周

高8.4、寬16.5、口徑7.4厘米。

勺體直口，束頸，圓腹，圈足，腹壁一側鑄一鳥形飾，另一側有扁平柄，柄上刻有花紋。

現藏故宫博物院。

夔龍紋匜

東周

山西侯馬市上馬村墓地出土。

高16、長31厘米。

浮雕獸首形鋬，前兩足寬扁，後兩足作獸蹄形。沿下飾夔龍紋，腹飾瓦紋。

現藏山西省考古研究所。

交龍紋匜

東周

高15.2、長31.4厘米。

槽形流，龍首鋬，半瓠形器身下接四個扁獸足。腹部每面飾團身夔龍紋四條，兩條大的夔龍長冠相交，流下的一條小夔龍咬住大夔龍的尾部，流口另有一條獨立的小夔龍。所有夔龍紋都以雲雷紋襯地，地紋纖細，幾乎被突出的主題紋樣遮蓋。

現藏美國舊金山亞洲藝術博物館。

虎頭匜

東周
山西太原市金勝村出土。
高18.8、長35.8厘米。
瓢形器，虎頭形流，伏虎形提梁，腹底前側對置鳥爪形足，尾部下接一倒立虎形支鈕。口沿下飾蟠龍紋。
現藏山西省考古研究所。

綫刻紋匜

東周
山西太原市金勝村出土。
高11.2、口徑24-25.4厘米。
橢圓形器，敞口，平底，短流，與流相對一側飾鋪首銜環。壁薄如紙。外表素面、流内壁陰刻三魚，兩進一出，腹内壁陰刻貴族舉行射禮圖案。
現藏山西省考古研究所。

獸形弦紋盉

東周
山西長治市分水嶺270號墓出土。
高23.4、口徑10.4厘米。
小口鼎形盉。扁圓形器體，直口外罩平頂蓋，蓋鈕有環鏈與提梁相連。器上有粗壯的龍形提梁，龍抽象成弧形，長着菌狀角的龍頭從提梁前部伸出，提梁後部翹起鈎形的龍尾。器身前伸出上翹的獸首形粗管流，獸首頸飾鱗甲紋。器下接三隻細蹄足，足上飾獸面紋。器表光素，僅飾凸弦紋兩道。
現藏山西博物院。

龍首提梁盉

東周
高23.9、長25.7厘米。
扁圓形壺身，直口外罩平頂蓋，前有龍首形管狀流，上有固定的龍形提梁，下接三隻獸面紋蹄足。提梁上緣的前部和後部，以及器身後面都鏤空的扉棱。蓋壁飾連續三角紋，腹部飾兩道凸弦紋，弦紋間填蟠虺紋，其下飾三角垂葉紋一周。
現藏北京市保利藝術博物館。

鳳首提梁盉

東周
河北平山縣1號中山王墓出土。
高23.1、寬22.6厘米。
小口鼎形盉。扁圓形器腹，短頸圓口上罩弧頂蓋，蓋頂有環鈕套環鏈與提梁相連。器肩置獸頭龍身提梁，前面伸出一半身的展翅鳳鳥，鳥口張開爲流。腹下平底，腹側接三隻蹄足。器表素面，僅在腹中部施一道凸弦紋，好像將器身分爲上下大致對稱的兩半。器上刻銘二十字。
現藏河北省文物研究所。

獸耳盤

東周
山西聞喜縣上郭村采集。
高14.6、口徑31.6厘米。
腹兩側置螺角獸首形耳，矮圈足下附三小方鈕足。
現藏山西省考古研究所。

魚紋盤

東周
河南三門峽市上村嶺虢國墓地出土。
高17.2、口徑35.2、足徑21.1厘米。
對飾附耳，圈足飾方形鏤孔。內壁飾魚紋一周，以雲雷紋襯地，内底飾龍紋。
現藏中國國家博物館。

鄭伯盤

東周
高13.5、口徑37.9厘米。
螺角獸首形對耳。腹内壁淺浮雕魚紋兩周，腹外壁飾雙頭龍紋，圈足透雕鱗紋。內底鑄銘十三字，記鄭伯作器事。
現藏上海博物館。

毛叔盤

東周

高17.2、口徑47.6、寬52.5厘米。

敞口，淺腹，圈足，雙附耳，圈足下附三卧牛形矮足。耳飾鳥紋、蟠龍紋，腹外壁及圈足亦飾蟠龍紋。內底有銘文四行二十三字，記毛叔爲女兒彪氏孟姬作媵器事。

現藏故宮博物院。

夔龍紋獸足盤

東周

高13.5、口徑37.5厘米。

圈足周邊有四個獸形短足。盤身飾一周夔龍紋，圈足飾一周捲雲紋。

現藏北京市保利藝術博物館。

犧背立人擎盤

東周
山西長治市分水嶺出土。
高14.5，犧長18厘米。
犧脊立人，手持圓環，内插盤柱。盤壁鏤空。立人長髮披肩，身着長袍。犧身飾鱗紋、絢索紋和捲雲紋等。
現藏山西博物院。

龜魚紋方盤

东周

高22.5、長73.2、寬45.2厘米。

長方形體、口沿外翻，直壁平底、長邊兩側飾四獸首銜環，底接四龍，龍下有虎形足、口沿內壁浮雕蟠虺紋，腹內壁飾雷紋，內底飾龜、魚戲水圖案。腹外壁浮雕動物紋。

現藏故宮博物院。

獸足方盤

东周
山西潞城市潞河墓地出土。
高20.2、長77、寬45厘米。
方盤折沿，淺腹，平底、長邊外壁各有二獸首銜環耳。
盤四角下承獸頭形柱足，其下又分别以圓雕立獸承接。
盤外壁飾變形夔龍紋。
現藏山西省考古研究所。

蟠龍紋鑑

東周
山西侯馬市上馬村墓地13號墓出土。
高50、口徑62.5厘米。
折沿寬平，直頸微束，肩下較直，中腹平底，肩下有四個飾浮雕獸首的半環耳。頸飾竊曲紋和三角紋，肩下飾蟠龍紋，下接鱗甲紋。
現藏山西省考古研究所。

狩獵紋鑑

東周

高28、寬61.4厘米。

敞口，束頸，平底，矮圈足。頸腹間飾四等距獸首銜環耳。頸與下腹飾武士狩獵紋帶，上腹飾駕車狩獵紋帶，間飾三角回紋帶，圈足飾繩紋，頸內壁飾浮雕鳥紋，上腹內壁飾鳥捕魚紋，下腹內壁飾龜紋。

現藏美國華盛頓弗利爾美術館。

智君子鑑

東周

高22.7、寬51.8厘米。

敞口，束頸，平底，矮圈足。頸腹間飾鋪首銜環耳、獸首形環耳各一對。頸與下腹飾鳳鳥紋帶，上腹飾正反相間獸面紋帶。有銘文六字“智君子之弄鑑”。

現藏美國華盛頓弗利爾美術館。

錯金龍耳方鑑

東周

河南三門峽市上村嶺出土。

高21.6、口長30.1厘米。

器四面中部飾龍形耳，束頸矮圈足。通體飾幾何雲紋，腹部加以方格絡帶。花紋均嵌錯金絲。

現藏河南博物院。

龍紋鎣

東周

山西聞喜縣上郭村27號墓出土。

高9.1、口徑6.5厘米。

器口的寬折沿上方平板狀蓋，蓋下有三個卡脚能够防止器蓋滑落，蓋沿兩側另有方環形扣可以將蓋約束在器耳的提繩上。器頸與肩一體，肩部設一對龍首環耳，折肩圜底，下腹有三空袋足。蓋飾簡化的團身鳥紋，肩飾竊曲紋，腹飾垂葉形的相對連身夔龍紋。

現藏山西省考古研究所。

梁姬罐

東周

河南三門峽市上村嶺虢國墓地2012號墓出土。

高11.8、口徑8.1厘米。

球形體，子母口，矮圈足。蓋頂有一鳥首形鈕，蓋沿與器口兩側對飾二方形獸首雙繫。蓋飾曲體雙龍雙牛首紋，腹飾捲龍紋，均以雷紋襯地。蓋内鑄銘二行五字，記梁姬作器事。

現藏河南省文物考古研究所。

楊姞方座筒形器

東周

山西曲沃縣北趙村晉侯墓地63號墓出土。

高23.1、筒徑9.1厘米。

上部圓筒形，以子母口與蓋扣合，蓋頂飾立鳥形捉手。蓋沿、口沿對飾貫耳。下部方盒形，四面均附裸體人形足，蓋面飾斜角雲紋，蓋沿、器口飾竊曲紋，器身飾波曲紋和鱗紋。

現藏山西省考古研究所。

犀足鋞

東周

河北平山縣1號中山王墓出土。

高58.8、寬24.5厘米。

器形如大竹筒狀。直圓口，深直腹，平底，筒下以三隻獨角小犀牛爲足。器腰有仿竹節的箍帶，其上設對稱的銜環鋪首。筒外及犀牛身上均施有淺細的蟠虺紋，器下邊横刻銘文五字，記製作者姓氏。

現藏河北省文物研究所。

刖人守門銅挽車

東周
山西聞喜縣上郭村出土。
高9.4、長13.7、寬11.3厘米。
車長方形，車箱上有兩扇平蓋，以蹲猴爲捉手。車箱前部左門扉上有裸體刖人作守門狀。全器浮雕虎、熊、鳥等動物十四種之多，可轉動部位達十五處。
現藏山西考古研究所。

人形足龍虎方盒

東周
山西聞喜縣上郭村出土。
高8、長9、寬5.3厘米。
器頂有兩可開合小蓋，蓋飾獸面紋，蓋上浮雕兩伏虎。器壁飾夔紋，四壁中央附浮雕龍或虎。器足爲四個裸人。
現藏山西博物院。

人形足攀龍方盒

東周
山西曲沃縣北趙村晉侯墓地63號墓出土。
高9.3、長19.2厘米。
扁長方形器，頂有兩扇可開合小蓋，面飾箭鏃紋及雙頭龍紋，一蓋附卧虎形鈕，四隅附雲形扉棱。四壁附回首龍形耳，長邊下部附兩裸體跪姿人形足，胸飾變形獸面紋。
現藏山西省考古研究所。

錯金銀鳥紋虎子

東周
高13.6、寬22.6，底徑12.4厘米。
扁圓形器，折腹平底，直筒形流，弓形鋬。器頂、流部及下腹浮雕三角紋帶，腹飾鳥紋，底部飾渦紋。通體均以金銀絲鑲嵌。
現藏故宮博物院。

錯金銀四龍四鳳方案

東周

河北平山縣1號中山王墓出土。

高36.2、寬47.5厘米。

方案從下至上可分爲三部分：下部爲圓形底座，座周圍聯接四隻卧鹿爲器足；中部外圍是四隻雙身夔龍，回繞的龍尾斜撑住昂起的龍頭，在兩條龍之間各立一展翅欲飛的鳳鳥；上部爲放置于四隻龍首上的一斗二升式斗栱托舉的案框，漆木的案面已朽爛不存。案爲青銅鑄就，表面遍布金銀錯的花紋。紋飾因對象而异，龍施鱗，鳳施羽，鹿飾梅花，而幾合形構件則以斜角雲紋爲飾。在案框内側刻有“十四祀右使庫”等銘文十二字。這是先秦時期唯一的銅案，工藝極爲精緻，造形别具匠心。

現藏河北省文物研究所。

獸面紋甬鐘

東周

山西潞城市潞河墓地出土。

高43.5厘米。

同出兩組十六件，形制、花紋相同，大小相次，此爲最大一器。合瓦形體，篆間與甬部飾雲紋，隧部飾獸面紋。含有内胎，當爲冥器。

現藏山西省考古研究所。

編鐘

東周

河北平山縣出土。

高31.6、寬19.2厘米。

一套共十四件，此爲其中之一。扁圓形體，梯形鈕，舞近橢圓，鉦有篆，兩側飾渦紋，鼓飾變形蟠虺紋。唇中間部位少見調音時的銼磨現象。

現藏河北省文物研究所。

三角雲紋鈕鐘

東周

河南新鄭市金城路出土。

高8.5–21.3厘米。

一組十枚，大小相次。鐘體合瓦形。長方圓角形鈕。舞部素面，鼓部有三角雲紋組成的幾何紋飾。

現藏河南博物院。

獸目交連紋編鎛

東周

河南新鄭市金城路出土。

高27–33厘米。

一組四枚，大小相次。鎛體合瓦形，平口。凸形雙龍頭鈕，篆飾雲紋，舞部、鼓部飾獸目交連紋。

現藏河南博物院。

𬭚鎛

東周
山西萬榮縣廟前村出土。
高65、銑距44、鼓距34.5厘米。
扁鈕鏤空，爲雙龍食翼獸狀。篆間、鼓間均飾雲雷紋，螺狀枚。器身鑄銘十八行一百七十五字，記齊桓公賞賜𬭚祖先鮑叔事。
現藏中國國家博物館。

蟠龍紋編鎛

東周
山西太原市金勝村出土。
高29.5厘米。
同出十四件，大小相次，此爲其一。合瓦形體，對峙回首雙虎形鈕，舞、篆、鼓部均飾細密蟠龍紋。與夔龍鳳紋編鎛同出趙卿墓中，共同組合爲一套編鎛，可演奏三十八個音節，跨六個半八度，在音律上達到了七聲音階的先進水平。
現藏山西省考古研究所。

夔龍鳳紋編鎛

東周

山西太原市金勝村出土。

高46.5厘米。

同出五件，大小相次，此爲其一。合瓦形體，平口。對峙回首雙虎形鈕，蟠龍形枚。舞飾蟠龍紋，篆飾夔鳳紋，鼓飾夔龍鳳紋。腔内唇有四個長橢圓形音脊，用于調音。

現藏山西省考古研究所。

對蓋鈕鎛

東周

高44.8、銑間寬30.7厘米。

此鎛爲四件編鎛的最大者。對獸形鈕。篆帶飾蟠螭紋。鼓部飾龍紋組成的獸面紋。

現藏北京市保利藝術博物館。

羽翅紋鎛

東周
山西潞城市潞河墓地出土。
高42厘米。
同出四件，此爲最大一件。變體獸形鈕，泡狀枚浮雕蟠龍紋。篆間飾雲紋，鼓飾羽翅紋。不能發音，當爲冥器。
現藏山西省考古研究所。

獸首編磬

東周
通長15–27.6、通寬4.1–6.7厘米。
一組六件，形制相同，大小相次。一端爲獸首形，中部有一圓孔。
現藏故宮博物院。

蟠螭紋鼓座

東周

高46.5、底徑64.3厘米。

中空。器身飾四層蟠螭紋帶，最下層四面各有一鋪首銜環耳，下起第三層紋帶上飾八個璧形對獸紋附飾。

現藏北京市保利藝術博物館。

中山侯鉞

東周

河北平山縣出土。

長29.4、寬25.5厘米。

圓弧形刃，中有圓孔，肩有二穿。近欄處及内飾變形雷紋、三角紋。孔刃間竪刻銘文兩行十六字，記中山侯作此軍鉞以警示民衆事。

現藏河北省文物研究所。

王子孜戈

東周

山西萬榮縣後土廟村出土。

援長16、胡長9.5、内長8厘米。

同出兩件，選其一。援首微昂，中脊起棱，欄側三穿。長方形内，飾錯金捲雲紋，中有一穿。錯金鳥篆書銘文“王子孜之用戈”。

現藏山西博物院。

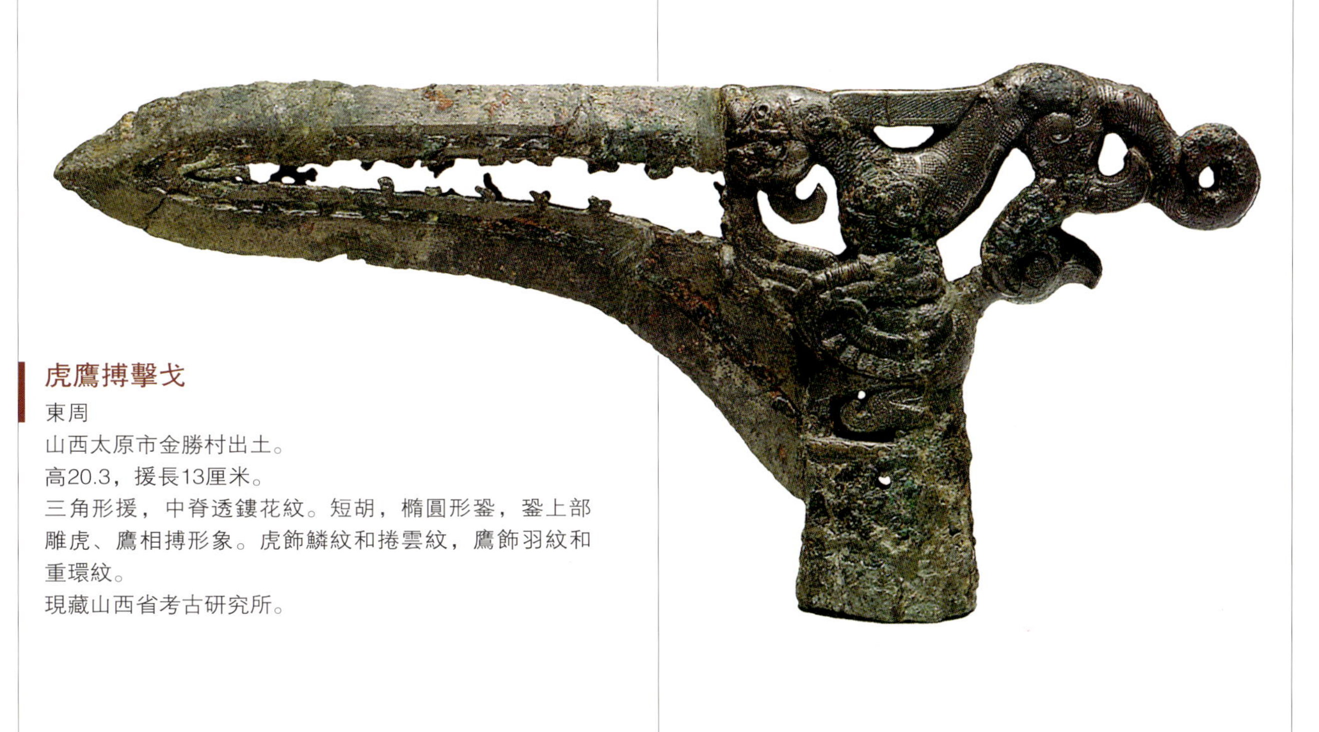

虎鷹搏擊戈

東周

山西太原市金勝村出土。

高20.3，援長13厘米。

三角形援，中脊透鏤花紋。短胡，橢圓形銎，銎上部雕虎、鷹相搏形象。虎飾鱗紋和捲雲紋，鷹飾羽紋和重環紋。

現藏山西省考古研究所。

輪內戈

東周

長37、寬12.2厘米。

戈援前部下彎，近方形銎，內後有輪，輪前有一圓孔，圓孔兩側一面浮雕一龍一虎，一面浮雕二龍。

現藏故宮博物院。

少虡劍

東周

山西渾源縣李峪村出土。

長54、寬5厘米。

長臘寬從，中脊下凹。倒凹字形格，莖部無箍，圓形劍首。格飾獸面紋，并鑲嵌緑松石。脊兩面有銘文二十字。

現藏故宫博物院。

少虡劍背面

繁陽劍

東周

河南洛陽市凱旋路出土。

長45、寬3.9厘米。

劍身無格，扁莖側有小突。劍身一面以紅銅錯銘“繁陽之金”四字。出土時插于象牙鞘内，劍首原有珍珠垂飾。

現藏河南省洛陽文物工作隊。

錯銀承弓器

東周
山西永濟市薛家崖出土。
長21.5、寬6.1厘米。
蛇頭昂舉狀首，下承長方形座，通體飾錯銀雲紋。此器用于弩前部以承弓。
現藏山西博物院。

韓將庶虎節

東周
高3.9、長8厘米。
僅存半扇，伏虎形器，虎蹲坐，昂首竪耳。正面刻銘“韓將庶信節”等十字。背有兩處凸榫。
現藏中國國家博物館。

夔鳳紋當盧

東周

山西聞喜縣上郭村出土。

直徑5.8厘米。

四隻鏤空的夔鳳紋糾纏成圓環，造型規整，韵律和動感兼備。

現藏山西省考古研究所。

錯金銀獸首軏飾

東周

河南輝縣市固圍村出土。

長13.7、高8.8厘米。

獸首形飾，圓目竪耳。通體錯金銀雲紋、鱗紋和斜綫紋。

現藏中國國家博物館。

鴨形帶鈎

東周
山西榆次市猫兒嶺出土。
長3.8、寬2厘米。
回首蹲坐鴨形帶鈎。通體包金，飾羽紋。
鴨身下有圓鈕。
現藏山西省榆次市文物管理所。

龍形帶鈎（右圖）

東周
山西榆次市猫兒嶺出土。
殘長11.2、寬4.2厘米。
琵琶形帶鈎，鈎首殘。鈎面作回首龍形，
龍身飾羽紋、斜綫紋。
現藏山西省榆次市文物管理所。

鎏金獸紋帶鈎

東周
河北平山縣出土。
長19.2、寬3厘米。
長方牌形帶鈎，蛇頭形鈎首。鈎背略内凹，中部略偏向尾側有圓形鈎鈕。通體鎏金，鈎面半浮雕獸紋。
現藏河北省文物研究所。

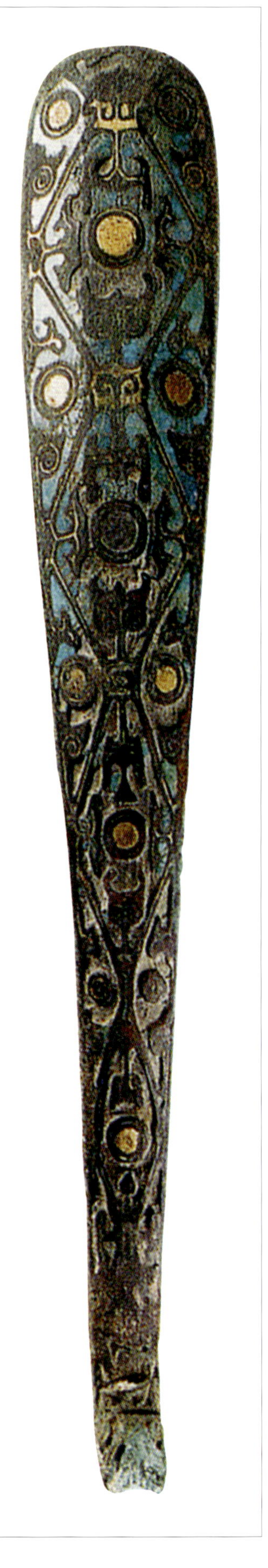

鑲嵌幾何紋帶鈎

東周
山西榆次市猫兒嶺出土。
長19.3、寬2.8厘米。
整體“S”形，鈎首爲蛇頭，鈎首通飾幾何紋、長綫條及圓點錯金。三角回紋内鑲嵌緑松石。
現藏山西省榆次市文物管理所。

鎏銀螭首帶鈎

東周
長13、寬1.9厘米。
帶鈎末端作螭首形，體飾直棱紋，并以鎏銀裝飾。
現藏故宮博物院。

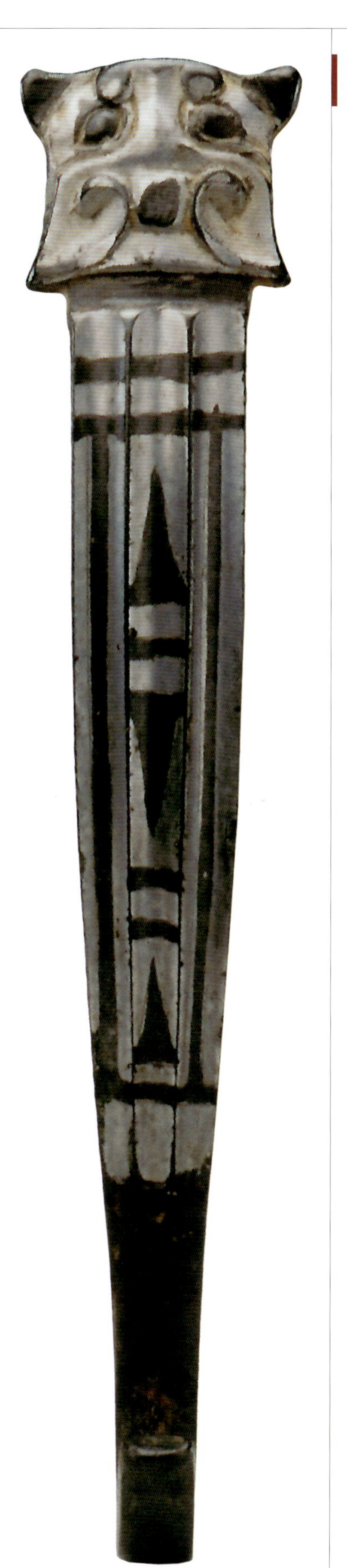

錯金幾何紋帶鈎

東周
長13、寬0.4厘米。
琵琶形器，獸首形鈎頭，背有圓形鈕。
通體飾錯金幾何紋。
現藏故宮博物院。

蛙鈕螭紋陽燧

東周

直徑4.4厘米。

凹面，凸背，蛙形鈕，鈕周浮雕糾結蟠龍紋。陽燧爲古人以日光取火用的凹面銅鏡。

現藏故宫博物院。

虎鳥紋陽燧

東周

河南三門峽市上村嶺虢國墓地出土。

直徑7.5厘米。

鏡面略凹，以便取火。背有圓鈕，周飾虎紋、變形鳥紋。

現藏中國國家博物館。

鳥獸紋鏡

東周
河南三門峽市上村嶺出土。
直徑6.7厘米。
雙弓形鈕，鏡背以陽綫勾勒虎紋、鹿紋和鳥紋。
現藏中國國家博物館。

變形龍紋鏡

東周
山西長治市出土。
直徑11厘米。
橋形鈕。紋飾分内外兩區，内區飾蓮瓣狀羽翅紋，外區環列十二組變形龍紋。周飾繩紋。
現藏山西博物院。

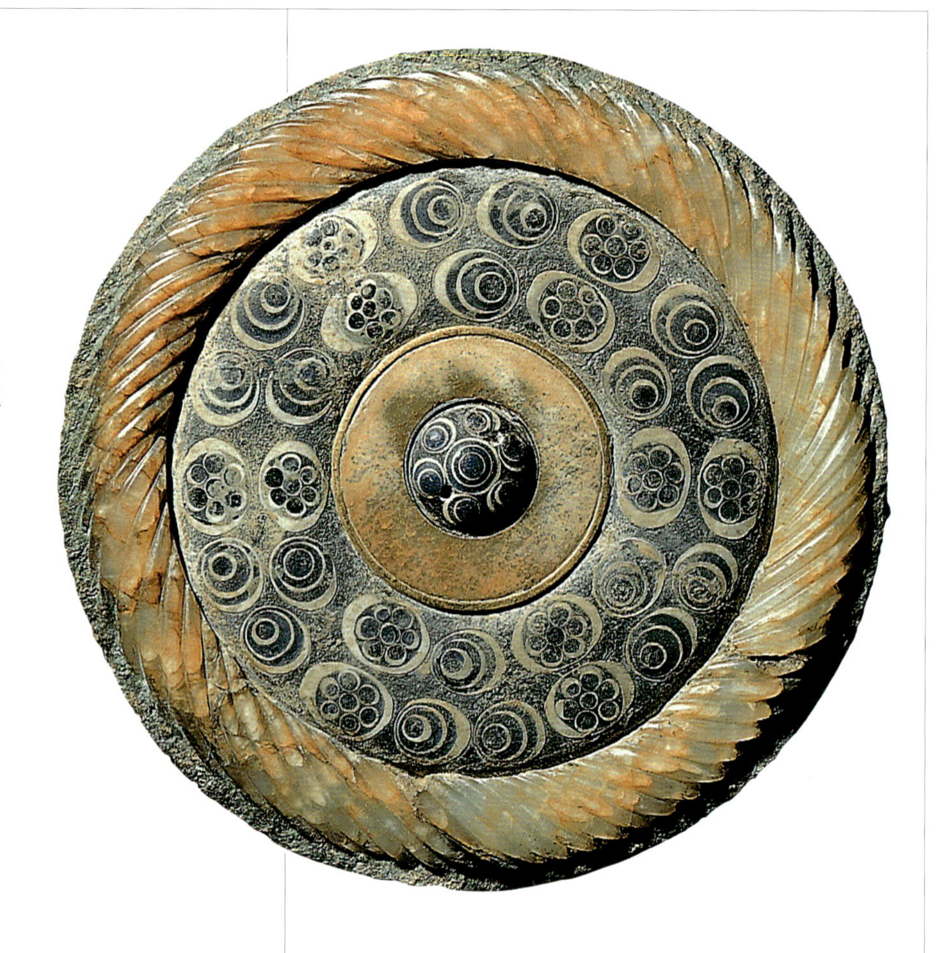

鑲嵌玉琉璃鏡

東周
傳河南洛陽市金村出土。
直徑12.2厘米。
藍色琉璃鈕，玉環鈕座，外嵌六出花形、白色套圈相間之藍色琉璃，周飾繩紋玉環。
現藏美國哈佛大學福格美術館。

鑲嵌緑松石透雕幾何紋鏡

東周
直徑10.6厘米。
半環形鈕，四瓣花紋鈕座。中部有方框，以之爲界分爲内外兩區，均飾透雕幾何形圖案，并陰刻雲紋，鈕座、方框及鏡緣均嵌緑松石。
現藏日本私人處。

錯金銀龍紋鏡

東周
傳河南洛陽市金村出土。
直徑17.5厘米。
圓形鈕，鏡背飾三組連體龍紋，間飾騎士鬥虎、兩獸相搏及展翅鳳鳥紋各一組。龍紋錯銀絲，餘皆錯金綫。鏡體兩層，以鏡背外緣包嵌鏡面而成。
現藏日本東京永清文庫。

鎏金蟠螭紋鏡

東周
直徑9.5厘米。
由圓形鏡面和透雕鏡背嵌合而成。鏡背由十二條蟠螭互爲糾纏組成主體紋飾，緣部爲鏤空鱗狀紋，内嵌緑松石。鏡背整體鎏金。
現藏北京市保利藝術博物館。

四虎紋鏡

東周
直徑12.1厘米。
橋形鈕，圓形鈕座。高浮雕四虎環繞鈕座，虎身飾雷紋。
現藏上海博物館。

透雕龍紋方鏡

東周
河南洛陽市西工區出土。
長11.2、寬11厘米。
半環形鈕，柿蒂形鈕座。內區透雕四回首龍紋，四邊框飾重環紋。
現藏河南省洛陽博物館。

烏柱盆

東周

河北平山縣出土。

高47.5，直徑57厘米。

直壁，周有四獸首銜環。平底下接束腰圓柱，下有圓形圈座相承，圈座飾四組鏤空蟠龍。盆內底中部趴伏一鱉，背馱圓柱，柱頂有展翅鷹狀鳥，鳥爪攫蛇，可轉動。

現藏河北省文物研究所。

銀首人俑燈

東周

河北平山縣出土。

高66.4、寬55.2厘米。

由人俑座、蟠螭杯與燈盤組成，爲三盤九釬燈。俑爲男性青年形象，銀首，雙目鑲黑寶石，面帶笑容，穿右衽寬袖長袍，立于獸紋方座上。由三龍形杆連接三燈盤，右手所持燈杆上飾蟠螭戲猴，上有高燈。人左手握螭，螭口托中燈。下一蟠螭則盤卧于下燈燈盤之中央。

現藏河北省文物研究所。

十五連盞燈

東周
河北平山縣出土。
高82.9，底徑26厘米。
樹形燈體，由燈座和七節燈架構成，各部分以榫卯相連。燈座平面圓形，飾有三條“S”形鏤空翼龍，座下有一首雙身虎承托金器。座上立二家奴，拋食戲猴。燈枝枝頭各托圓形燈盞，枝間有群猴嬉戲，小鳥栖息，并有神龍向上蜿蜒。
現藏河北省文物研究所。

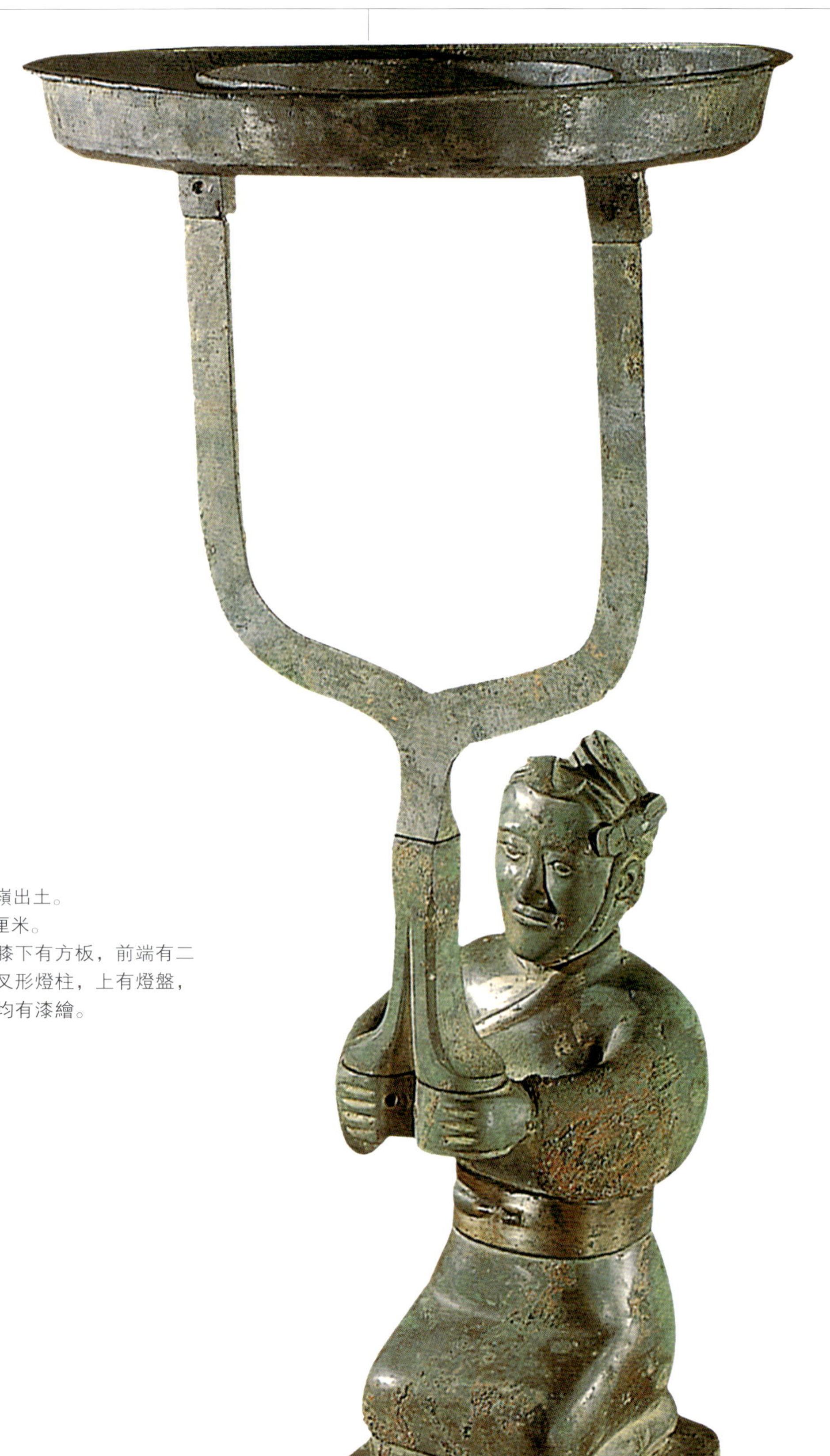

跽坐人形燈

東周
河南三門峽市上村嶺出土。
高48.9，盤徑23.7厘米。
跽坐人形燈座，人膝下有方板，前端有二圓形穿。人雙手舉叉形燈柱，上有燈盤，盤緣及銅人衣飾上均有漆繪。
現藏河南博物院。

蟠龍紋氈帳頂

東周
山西原平市東社鎮出土。
高19.5，頂徑16.5厘米。
素面拱頂，周飾十個環鈕，内套鴨形扣。長筒飾蟠龍紋和綯索紋。
現藏山西省原平市博物館。

獸形器座

東周
河南新鄭市李家樓出土。
高31.3厘米。
怪獸袒胸，下着菱形肚兜。雙腿踩蛇，頭頂、嘴角有四彎曲支柱歧出。
現藏臺灣省“臺北國立歷史博物館”。

山字形器

東周

河北平山縣出土。

高119、寬74厘米。

頂部向上出三枝鋒，削尖抹刃。兩側向下回轉成透空雷紋。下部中間有圓筒狀銎，內側下端有一方片體與銎壁連接。銎前後兩側有方形楔孔，銎內殘存朽木灰。

現藏河北省文物研究所。

人物立像

東周
湖南洛陽市金村出土。
高30厘米。
站立人像，足踏方板，手皆持銅棍，棍頭立玉鳥。人物昂首凝視玉鳥，髮結辮垂于胸前，袒胸露腹，肩着披肩，身披直紋長袍，胯部右側懸短劍，足蹬皮靴。
現藏美國波士頓美術館。

錯銀雙翼神獸

東周
河北平山縣出土。
高24、長40厘米。
一對。神獸昂首側扭，雙肋生翼，上飾長羽紋，足如鋼鈎，花鞭狀尾。通體錯銀，勾勒以捲雲紋爲主體的紋飾。
現藏河北省文物研究所。

錯金銀虎噬鹿插座

東周
河北平山縣出土。
高21.9、長51厘米。
猛虎食鹿造形。虎背後部與頸上各立長方形銎，飾獸面，内尚存木榫。虎巨口張開，前爪攫鹿，小鹿腿部蜷曲，張嘴垂頸。整器以金銀嵌錯精美花紋。
現藏河北省文物研究所。

錯金銀犀形插座

東周
河北平山縣出土。
高22、長55.5厘米。
犀形器。背有飾獸面長方形銎，内尚存木榫。尾長而挺直，屈腿偶蹄。眉骨飾金片，頭頂、額、鼻竪角，角飾細密金綫。頸有飾金綫、銀片的項帶。通體飾黄白相間的捲雲紋。
現藏河北省文物研究所。

錯金銀牛形插座

東周
河北平山縣出土。
高22、長53厘米。
牛形器。背有飾獸面的長方形銎，内尚存木榫。尾長直。以金綫勾劃眼眶、眉骨。周身飾以細金綫勾邊、寬銀綫爲主體的捲雲紋。
現藏河北省文物研究所。

對捲龍紋鼎

東周

河北唐山市賈各莊18號墓出土。

高26.5、口徑21.8厘米。

鼎罩弧壁平頂蓋，蓋周有三個寬環鈕。子口微斂，附耳外曲，鼓腹平底，腹側接三隻高蹄足。蓋面中心飾圓渦紋，蓋壁及器身均飾對捲龍紋，腹中另有綯索紋一周。

現藏中國國家博物館。

勾連雷紋鼎

東周

河北新樂市中同村2號墓出土。

高27.2、口徑24.1厘米。

弧頂蓋罩于器口外，蓋周有三環鈕。器口微斂，雙附耳，圜底三蹄足。蓋中心飾圓渦紋，蓋壁和器身均飾勾連雷紋，腹中部凸起的綯索紋一周。耳正面飾蟠虺紋，側飾雷紋。

現藏河北省文物研究所。

乳釘蟠虺紋鼎

東周
河北行唐縣廟上村出土。
高27.6、口徑22.2厘米。
鼎罩弧頂蓋，蓋頂有六撐環形捉手。子口微斂，附耳略曲，鼓腹圜底，蹄足較短。蓋、腹及附耳均飾乳釘蟠虺紋。
現藏河北省文物研究所。

三牛鈕蓋鼎

東周
北京通州區中趙甫墓葬出土。
高23、口徑22.4厘米。
口罩弧頂蓋，蓋頂有鈕套環爲捉手，周列三隻卧牛爲鈕。子口微斂，附耳，鼓腹平底，腹側接三隻獸面蹄足。蓋壁及器的肩、腹部各飾蟠螭紋一周，肩、腹肩以凸起的綯索紋分隔。
現藏首都博物館。

團身鳥紋蓋鼎

東周

河北平山縣出土。

高11.7、口徑9.1厘米。

蓋器相扣如扁圓盒，蓋面横卧三獸爲鈕。器身兩側附耳，耳曲綫圓和，鼓腹圜底，下接三蹄足。蓋面中心飾聯珠捲雲紋，足上部飾獸面紋，其餘蓋器表面各排列兩層四道橢圓形團花狀鳥紋，頗有後來團花的意味。

現藏河北省文物研究所。

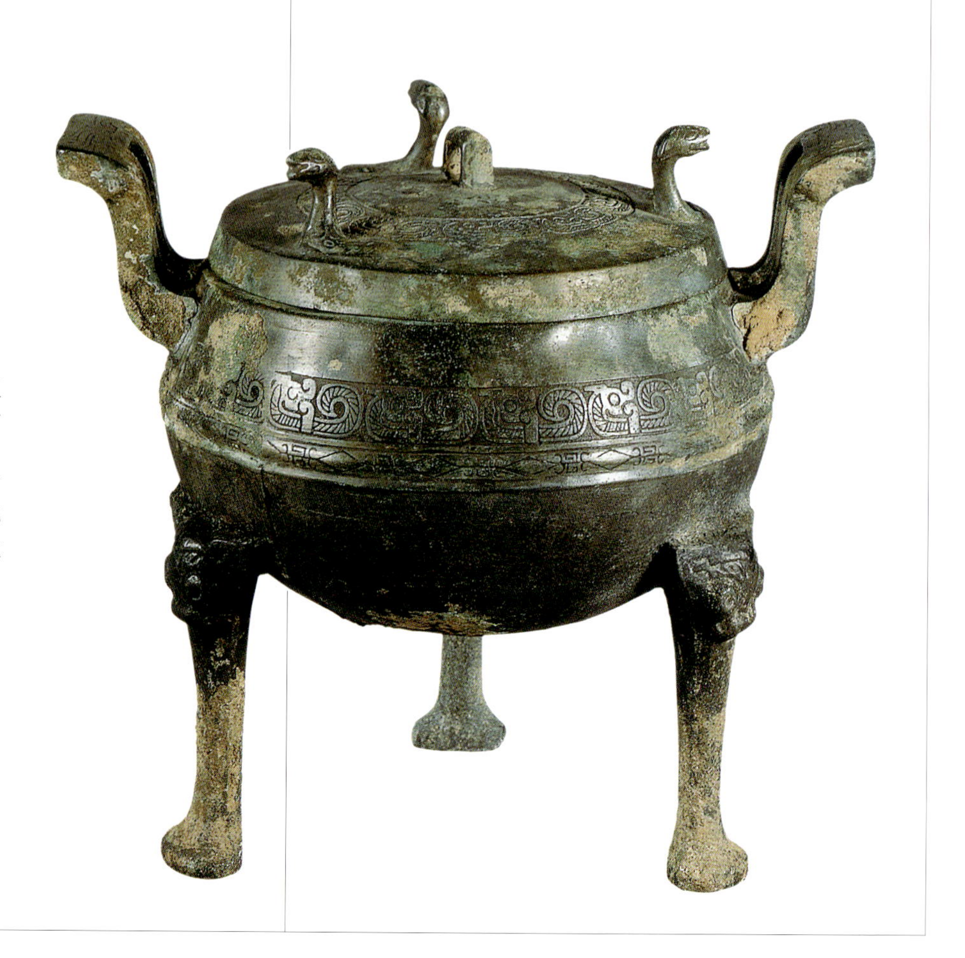

蛇鈕龍紋鼎

東周

北京順義區龍灣屯墓葬出土。

高18、口徑12厘米。

斜壁平頂蓋罩于子口上，蓋頂正中有橢方環鈕，周列三隻蛇首鈕。器爲子口斜肩，附耳外轉，肩腹折轉，圜底接三隻浮雕獸首的蹄足，蹄足高瘦。蓋面和肩部飾對捲龍紋一周，附耳上端飾獸面紋。

現藏首都博物館。

變形蟠龍紋甗

東周
河北行唐縣廟上村出土。
高35.4、口徑27.2厘米。
甑鬲分體類，子母口套合。甑如頸部微束的圈足盆，肩兩側有銜環鋪首，甑底有輻射形鏤孔。鬲的腹部外鼓，聯襠柱足，肩部也有鋪首，但未見套環。甑頸飾綯索紋，上腹飾雲雷紋地的變形蟠龍紋，下爲垂葉紋，以雲雷紋襯地。
現藏河北省文物研究所。

鑲嵌交龍紋鼎

東周
山西渾源縣李峪村出土。
高17.5、口徑13–14.5厘米。
鼎的子口罩平頂蓋，蓋頂有環，周列三等距獸首形鈕。器腹兩側以雙環爲耳，鼎腹呈半球形，下接三條細直的蹄足。蓋、器均飾以綯索紋爲界的交龍紋，龍紋以紅銅鑲嵌，龍眼嵌綠松石。
現藏上海博物館。

鳥鈕獸紋高足敦

東周

河北三河市雙村出土。

高15.5、腹徑12.8–14.5厘米。

敦的子口上罩斜壁平頂蓋。蓋中心有環鈕，周列三鳥首鈕（一鈕已失）。肩對置環耳，圜底周列三隻獸面紋的高蹄足。蓋面和器表均飾陰綫的獸紋。

現藏河北省廊坊市文物管理所。

環鈕蟠虺紋高足敦

東周

河北滿城縣采石廠出土。

高16、口徑9.3厘米。

斜壁平頂蓋，蓋頂有環鈕捉手，周列三環鈕。器爲子口，肩兩側對置環耳，圜底旁接三浮雕獸面瘦蹄足。蓋面和器壁均飾乳釘蟠虺紋，肩腹間有綯索紋一道。

現藏河北省文物研究所。

鳥首鈕雷紋高足敦

東周

河北陽原縣九溝村出土。

高16.3、口徑12.2厘米。

器的子口上罩斜壁平頂蓋，蓋頂有環鈕，周圍等距列鳥首形鈕。器壁微鼓，肩對置獸面環耳，圜底旁列獸面紋的瘦高足。蓋飾雲紋和綯索紋，腹飾菱格雲紋、雷紋和綯索紋。

現藏河北省文物研究所。

蟠螭紋蓋豆

東周
北京順義區東海洪村出土。
高39、口徑20厘米。
蓋如倒置的矮柄豆，頂有圈狀捉手。豆盤深度與豆蓋相近，盤外兩側置環耳，豆柄瘦高，上粗中收下侈。蓋面與豆盤飾相對的蟠螭紋和垂葉紋，豆柄上、中、下分別飾雲紋、三角紋和蟠螭紋不同組合的紋飾。捉手等處還鑲嵌有綠松石。
現藏故宮博物院。

狩獵紋豆

東周
河北平山縣出土。
高30.7、寬18厘米。
蓋上有圈頂捉手，器腹兩側置環耳，豆柄低矮，上段實心，下段圈足。捉手頂面、蓋面、盤壁和圈足均飾凸起的狩獵紋飾，環耳飾花葉紋帶。
現藏河北省文物研究所。

幾何紋長柄豆

東周

北京通州區中趙甫墓葬出土。

高50.2、口徑18厘米。

蓋、盤均呈半球狀，盤作子口承蓋。蓋面有三隻立羽狀鈕，盤兩側各有一環耳，圜底下接高柄圈足。通體紋飾，蓋鈕及盤耳飾斜角雲紋，蓋頂中央飾圓渦紋，向下至口依次爲圓渦紋、三角紋、蟠虺紋；盤口以下分別爲蟠虺紋和三角紋；柄部飾連貝紋和蟬紋組合的三角紋，圈足飾三角紋及變形夔紋。造型優雅，紋飾豐富，不失爲燕器中的精品。

現藏首都博物館。

錯紅銅行龍紋蓋豆

東周

河北新樂市中同村2號墓出土。

高24.4、口徑16.2厘米。

圜頂蓋面有三環鈕。器有子口，肩兩側置環耳，細柄下爲喇叭形圈足。蓋面和器腹均飾錯紅銅的回首行龍紋，圈足以紅銅嵌錯垂葉紋。

現藏河北省文物研究所。

絡帶紋鉶

東周
河北陽原縣九溝村出土。
高14.2、口徑12厘米。
斜壁平頂蓋，蓋中有環鈕，周立三鷹首鈕。器身爲斂口、圓肩、圈足，肩兩側對置獸首環耳。蓋面、器腹以絡帶紋劃分内外或上下兩層，每層若干單元，内填蟠螭紋。圈足飾綯索紋一周。
現藏河北省文物研究所。

鑲嵌虎紋鉶

東周
山西渾源縣李峪村出土。
高16、口徑12–13.5厘米。
蓋罩于器的子口上，蓋頂微凸，中有環鈕，周列三隻鷹首鈕。橢圓形器口，深腹矮圈足，肩部對置環耳。蓋面和器身表明均以紅銅嵌錯虎形紋，雙耳與圈足以紅銅嵌錯幾何紋。
現藏上海博物館。

三角蟠螭紋敦

東周
河北唐山市賈各莊出土。
高22.1、口徑16.3厘米。
蓋、器相合成卵形，以子母口相接。蓋頂及器底均飾三雲形鈕，器頸兩側對置環耳，蓋、器對置圓渦紋、三角紋及蟠螭紋。
現藏中國國家博物館。

勾連雷紋敦

東周
河北赤城縣龍關鎮出土。
高20.6、口徑13厘米。
蓋、器相扣如卵形，子母口。蓋頂和器底分别有三隻雲形環鈕，器頸對置環耳。蓋、器對置圓渦紋、勾連雷紋和垂葉紋。
現藏河北省博物館。

人形足盆

東周
河北懷來縣狼山出土。
高14.4、口徑27.5厘米。
盆爲直口、深腹、平底，肩兩側對置獸面鋪首，腹下以三直立人爲足。人身着短裙，雙手叉腰。盆腹飾有凸弦紋。
現藏河北省文物研究所。

雙首龍紋罍

東周
河北懷來縣甘子堡出土。
高21、口徑16厘米。
小口外侈，短直頸，廣肩曲轉，鼓腹平底，肩立獸形環耳。通體飾雙首龍紋。
現藏河北省博物館。

蟠虺絡紋罍

東周
河北唐縣北城子村出土。
高30.9、口徑21.3厘米。
侈口直頸，廣肩圓轉，圈足低矮。肩對置獸首環耳，耳內套環，雙耳間飾透雕蟠龍形扉棱。器表以外套絢索形絡帶紋爲飾，其內填蟠虺紋。圈足以絢索紋爲飾。
現藏河北省文物研究所。

交龍紋壺

東周

河北懷來縣北辛堡出土。

高51、口徑14.4厘米。

平板狀蓋上等距置四鈕銜環，蓋下附小榫與壺口的鉚口咬合。短頸、鼓腹、矮圈足。肩兩側對置銜環鋪首，下腹近底處亦置四鈕套環。蓋中心飾火紋，周圍飾浮雕龍紋、三角雲紋。肩上及下腹飾三角龍紋帶，其間飾菱形蟠虺紋帶三周。

現藏河北省文物研究所。

蟠虺紋提鏈壺

東周

河北淶水縣永樂村出土。

高37、口徑9厘米。

弧頂低蓋，蓋面兩側有鋪首銜環套提鏈。壺爲直口長頸，鼓腹圈足，肩對置鋪首銜環以穿繫提鏈，提鏈上端爲弓形獸首捉手。頸飾三角紋，蓋面和器肩以蟠虺紋帶爲主要裝飾。

現藏河北省博物館。

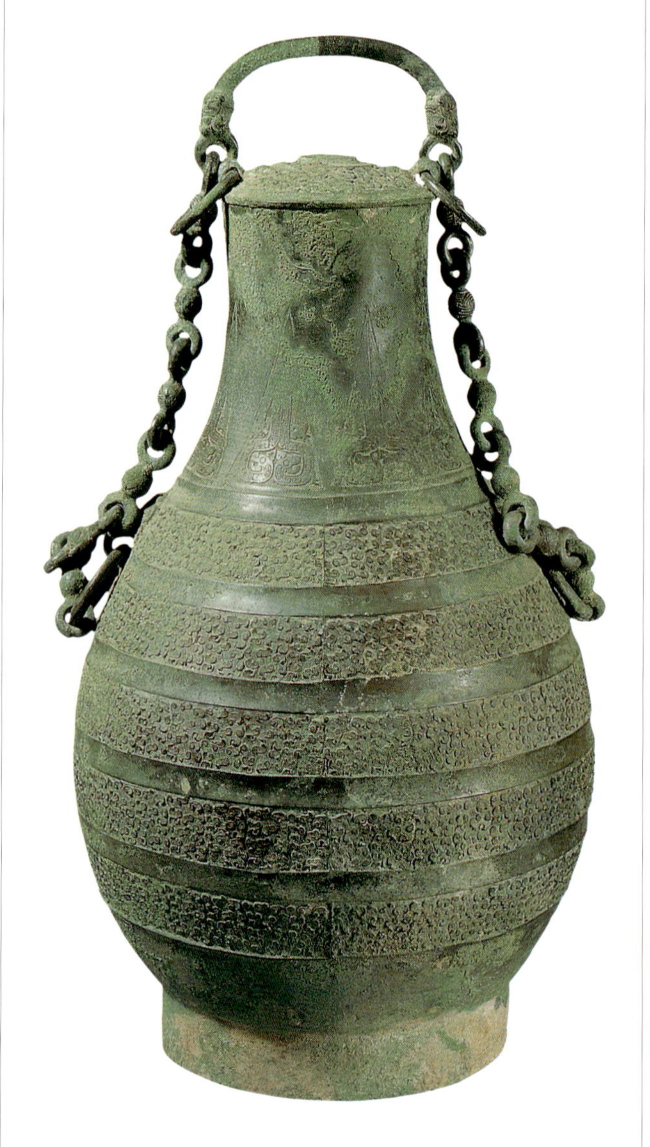

蟠螭紋壺

東周
河北唐縣北城子村出土。
高32.5、口徑9.2厘米。
蓋沿飾二鈕銜環，肩對置環形耳，下腹前後對置鋪首銜環。頸、腹均飾兩周蟠螭紋，肩飾陰綫的虎紋四隻。
現藏河北省文物研究所。

嵌錯紅銅狩獵紋壺

東周
河北唐山市賈各莊5號墓出土。
高54.9、口徑10.9厘米。
蓋面微凸，頂有環鈕。侈口曲頸，長腹圓鼓，圈足低矮。肩對置雙環耳。頸部以紅銅鑲嵌出雲形立葉紋，腹以絢索狀絡帶紋爲套，内填以紅銅嵌錯狩獵紋圖案。
現藏中國國家博物館。

絡紋圓壺

東周

河北行唐縣李家莊出土。

高30、口徑7厘米。

小直口，長肩垂腹，大平底，肩上對置環耳。

頸下鑄綯索狀絡帶紋，餘皆素面。

現藏河北省博物館。

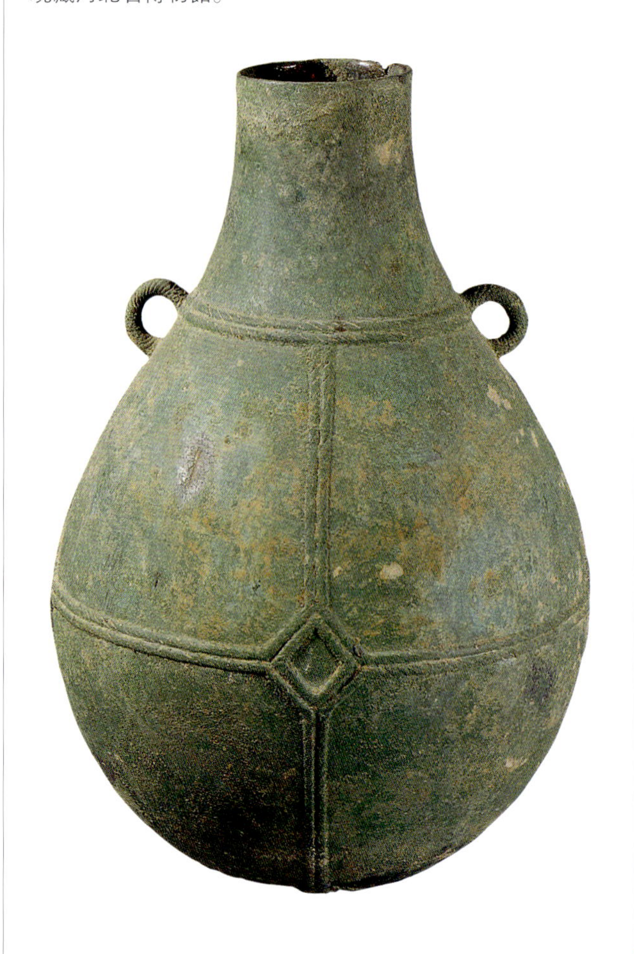

變形雲紋壺

東周

内蒙古凉城縣出土。

高26.3、口徑9.7厘米。

小口，短頸，鼓腹，圈足，肩對置獸首銜環。器表以寬弦紋帶分爲五組紋飾，分飾變形雲紋、變形三角紋帶。肩部變形雲紋間飾舞蹈人物形象。

現藏内蒙古自治區博物館。

交龍紋壺

東周
陝西延安市出土。
高32.5、口徑11.5厘米。
侈口，束頸，球腹，寬圈足。蓋周飾三等距鳥首形鈕，肩飾鋪首銜環對耳。蓋飾彎曲龍紋兩周，腹飾糾結交龍紋。
現藏陝西歷史博物館。

瓠形壺

東周
河北行唐縣李家莊出土。
高21.8、口徑4.5厘米。
瓠瓜形，圓口，頸斜傾向後，矮圈足。器身內側腹部鑄二個半圓鈕，套繩索狀提梁。通體素面。
現藏河北省博物館。

重金絡壺

東周
江蘇盱眙市南窑莊窖藏出土。
高24、口徑12.8厘米。
工藝精緻，造型複雜。由内外三層構成：最外層是套在肩下的一圈横箍，其上設相間的銜環鋪首和虎形竪耳各四個，箍帶、鋪首和竪耳上有細如髮絲的錯金銀流水雲紋，獸頭上尚嵌有緑松石（已脱落）；中層是套在肩腹部的網絡，網絡由九十六條蟠龍和五百七十六枚五瓣花釘組成，給人以鏤空透雕的感覺；内層是壺體，其造型爲侈口，長頸，圓肩，圈足。口沿銘文爲製作該器時原刻，格式及字體爲燕國風格，銘文爲“廿五，重金絡壺，受一斗五升。”圈足内緣有被鑿去的作器者名字。外緣刻銘記載了這件重金絡壺是齊王五年，齊國大將陳璋攻伐燕國所獲，屬于戰國中期的燕國寶器。
現藏南京博物院。

絡帶紋扁方壺

東周

河北唐縣北城子村出土。

高40.8、口長9.8、寬6.5厘米。

扁方形體。口罩平板狀蓋，蓋兩側對置鋪首銜環。壺身爲直口、長鼓腹、矮圈足，肩部兩側和下腹兩側各有綯索紋環耳，肩耳內套圓環。器身四面以綯索紋絡帶爲紋飾，圈足飾三角雲紋。

現藏河北省文物研究所。

獸首流匜

東周

河北唐縣北城子村出土。

高24.2、長37厘米。

匜口前端略上揚，流作獸首形，流下有環鈕。與流相對一側的匜口內折，後有獸形鋬。器口兩側腹部有鋪首銜環。平底下接矮圈足。口沿下以兩道凸起的綯索紋爲邊欄，內飾蟠螭紋，下有三角垂葉紋，圈足飾綯索紋。

現藏河北省文物研究所。

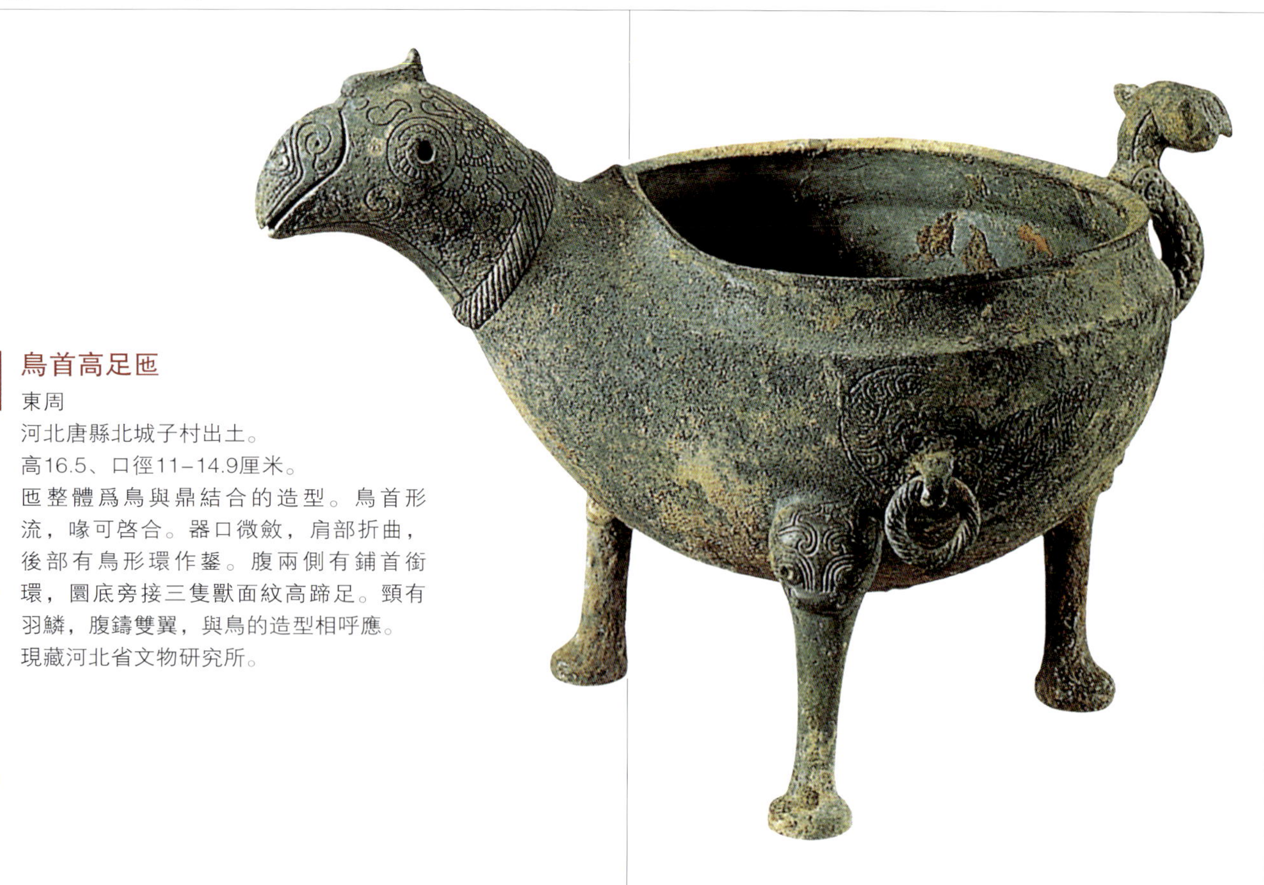

鳥首高足匜

東周

河北唐縣北城子村出土。

高16.5、口徑11–14.9厘米。

匜整體爲鳥與鼎結合的造型。鳥首形流，喙可啓合。器口微斂，肩部折曲，後部有鳥形環作鋬。腹兩側有鋪首銜環，圜底旁接三隻獸面紋高蹄足。頸有羽鱗，腹鑄雙翼，與鳥的造型相呼應。

現藏河北省文物研究所。

龍虎紋雙耳盤

東周

河北唐山市賈各莊18號墓出土。

高12.8、口徑35.5厘米。

折沿，淺腹，圈足，雙附耳外折。內底中央有三個團獸紋，內壁飾龍紋和虎紋，口沿以紅銅鑲嵌菱形紋，外壁亦飾菱形紋，圈足飾波曲紋。

現藏中國國家博物館。

波曲紋四耳鑑

東周
河南懷來縣北辛堡出土。
高42、口徑82.5厘米。
寬折沿，曲頸，平底，肩飾浮雕獸首形四環耳。器身以三道綯索紋爲邊欄，其間飾波曲紋，下腹加飾垂葉紋。圈足也以綯索紋爲飾。
現藏河北省文物研究所。

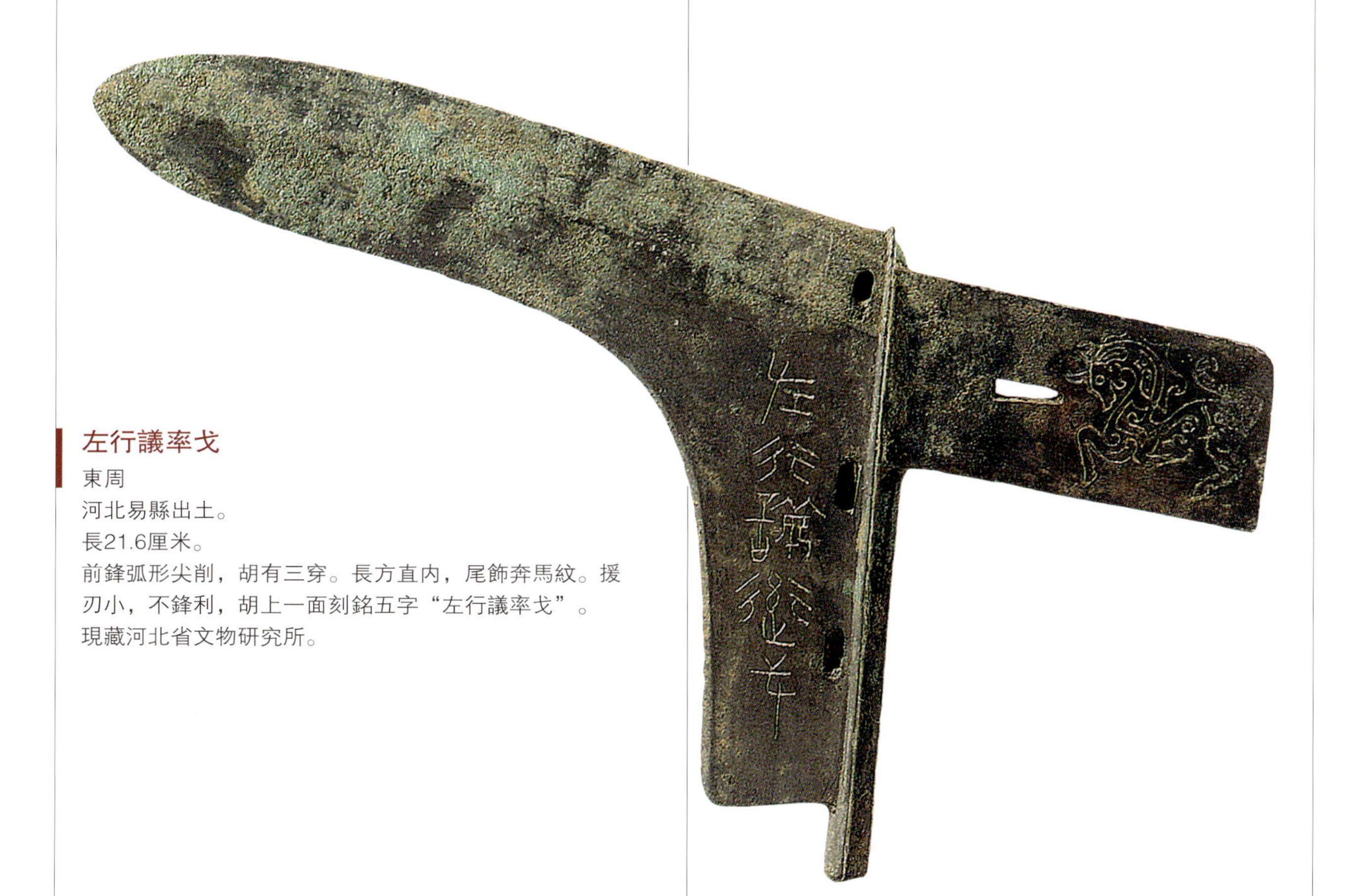

左行議率戈

東周
河北易縣出土。
長21.6厘米。
前鋒弧形尖削，胡有三穿。長方直内，尾飾奔馬紋。援刃小，不鋒利，胡上一面刻銘五字“左行議率戈”。
現藏河北省文物研究所。

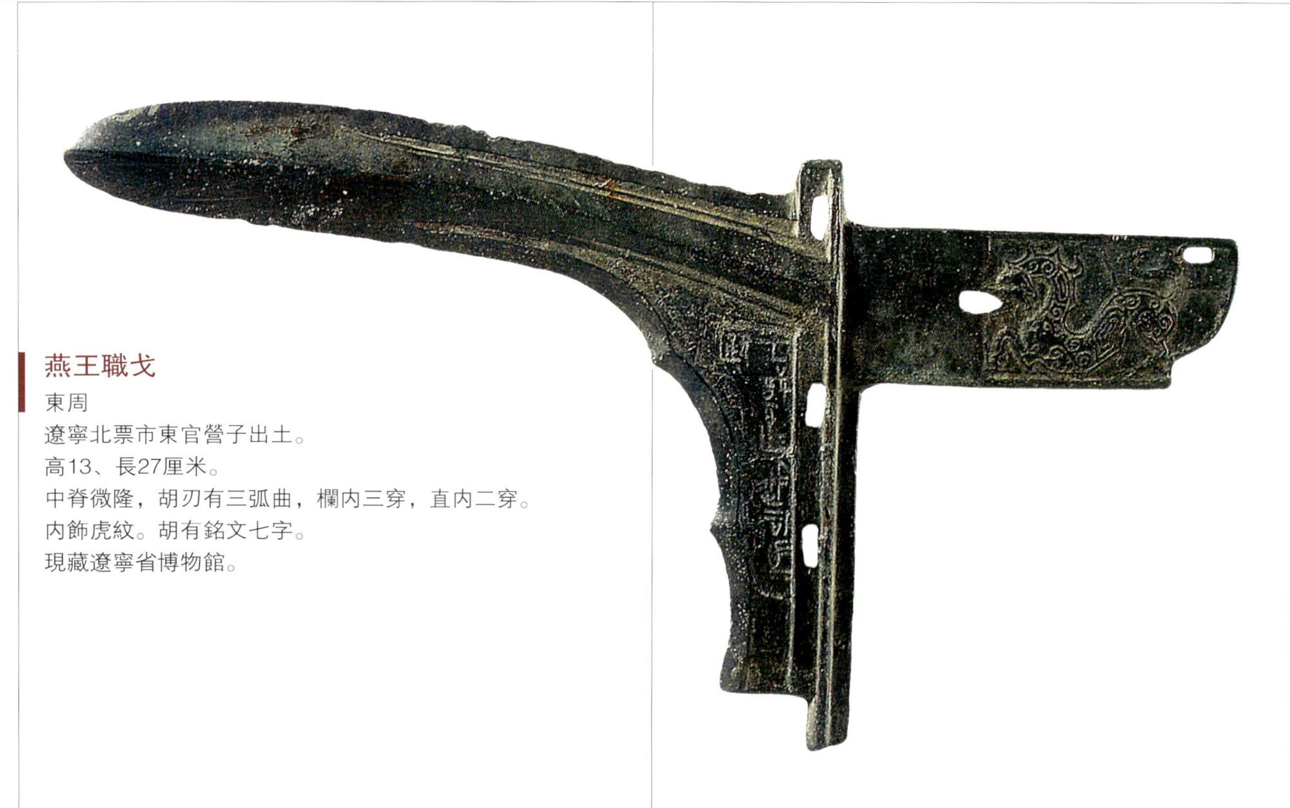

燕王職戈

東周
遼寧北票市東官營子出土。
高13、長27厘米。
中脊微隆，胡刃有三弧曲，欄內三穿，直內二穿。
內飾虎紋。胡有銘文七字。
現藏遼寧省博物館。

交龍紋車轄、車軎

東周
北京順義區龍灣屯出土。
軎長6、內端徑8.2、外端徑5厘米，轄長8.6厘米。
一對。軎身中部飾交龍紋，兩側棱內有長方形對穿轄孔。轄一端浮雕人首，另一端浮雕獸面。
現藏首都博物館。

銅人

東周

河北易縣燕下都高陌村出土。

高25.8、肩寬13厘米。

銅人直立，雙手捧一筒狀物。頭戴一巾，垂于腦後，頂部有一帶套于頜下。身着右衽窄袖長袍，後領部開方口。腰繫帶，兩端以帶鈎相連接。

現藏河北省文物研究所。

鏤空樓闕形方飾

東周

河北易縣燕下都東貫城出土。

高22厘米。

方柱樓闕形器。方柱中空，四壁鏤空，透雕人物六人。柱頂有四阿頂透空閣樓，樓内正中一人坐于几上，前、左、右三側靠柱處浮雕人像。頂立飛鳥，四角飾立龍。

現藏河北省文物研究所。

蟠龍立鳳大鋪首（右圖）

東周
河北易縣燕下都老姆臺出土。
高74.5、寬36.8厘米。
獸首銜環鋪首。獸額中部浮雕一鳳，鳳左右飾蛇，纏繞鳳翅，鳳爪緊抓蛇尾。獸面兩側浮雕蟠龍。環上亦浮雕蟠龍。
現藏河北省文物研究所。

象形燈

東周
河北易縣燕下都武陽臺出土。
高11.5、長14.5厘米。
象形燈座，脊承燈盤。象腹部右側有銘文三字。
現藏河北省文物研究所。

魯侯鼎

東周
山東泰安市出土。
高26、口徑28.6厘米。
直耳，獸蹄形三足。頸飾獸體捲曲紋、凸弦紋。腹内壁鑄銘三行十五字。
現藏山東省泰安市博物館。

費敏父鼎

東周
山東鄒城市嶧山鄉鬥鶏臺遺址出土。
高26、口徑25厘米。
頸飾獸體捲曲紋，腹飾龍紋。
内壁鑄銘三行十六字。
現藏山東省鄒城市博物館。

蟠螭紋鼎

東周
山東沂水縣劉家店子1號墓出土。
高28.5、口徑30.6厘米。
平板形蓋罩于其口，器耳從蓋的兩個缺口中伸出，蓋中心以半環爲捉手。器的立耳極度外撇，敞口、淺腹、圜底，底接三隻獸首蹄足。蓋面和上腹均飾帶小乳釘爲目的蟠螭紋。
現藏山東省文物考古研究所。

龍紋鼎

東周
山東莒縣寨里河鄉老營村出土。
高32.2、口徑32.4厘米。
雙立耳稍外撇，獸蹄形三足。頸飾獸體紋，腹飾變體龍紋，間飾凸弦紋一周。
現藏山東省莒縣博物館。

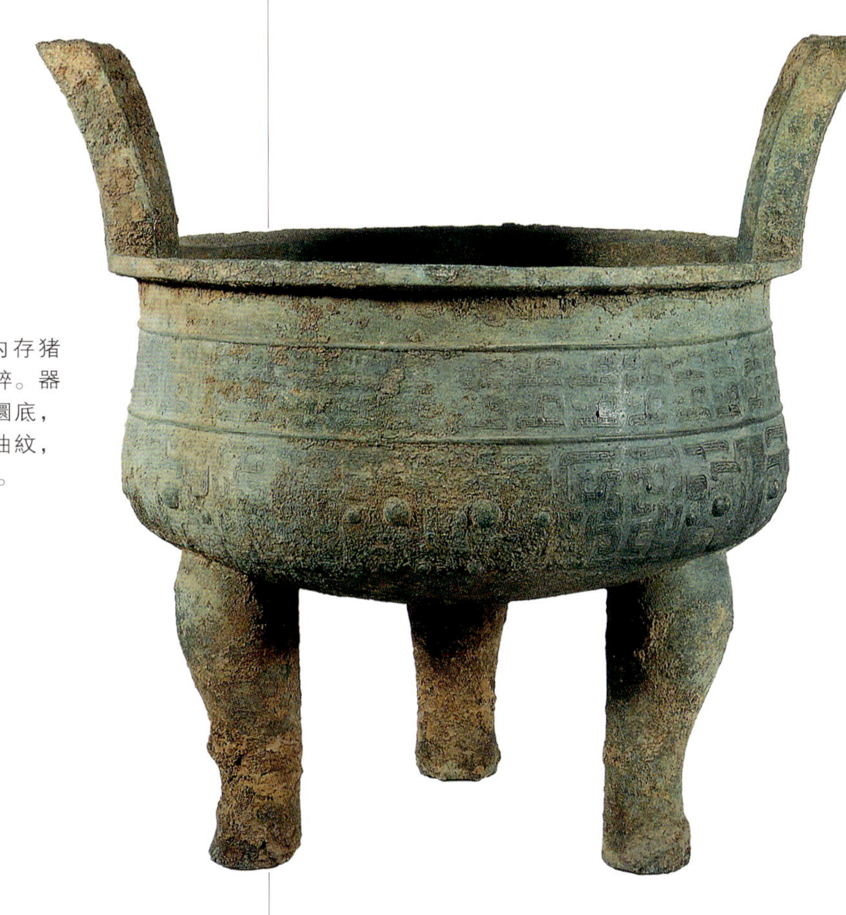

獸面紋鼎

東周
山東沂水縣劉家店子1號墓出土。
高48、口徑43厘米。
兩件成對，此爲其一，出土時内存猪骨。帶環形捉手的平板狀蓋已殘碎。器身爲折沿方唇，立耳外撇，垂腹圜底，底接蹄足。上腹飾帶目長象的竊曲紋，下腹飾波曲紋，其間以凸弦紋爲界。
現藏山東省文物考古研究所。

蟠虺紋鼎

東周
山東淄博市出土。
高23.8、口徑27.2厘米。
大口立耳，半球形淺腹，獸蹄形足。上腹飾蟠虺紋帶，其下有凸弦紋一道。
現藏山東省淄博市博物館。

龍紋鼎

東周
山東蓬萊市村里集鎮出土。
高41厘米。
立耳寬厚，鼓腹圜底，蹄足粗壯，足上部有浮雕狀獸面。肩部有六道短扉棱，其間、雙耳及腹部飾較稀疏的蟠螭紋。
現藏山東省烟臺市博物館。

雙首龍紋鼎

東周
山東淄博市臨淄區高陽鄉出土。
高22.5、口徑27.5厘米。
平頂蓋罩于器口外，蓋面中有環形捉手，周圍環列三個曲尺形鈕。器爲子口直腹，淺腹圜底，下接三隻不高的粗柱足，附耳高而直。腹壁飾雙首龍紋，其下以綯索紋爲邊欄。
現藏山東省淄博市齊國故城遺址博物館。

國子鼎

東周

山東淄博市臨淄區姚王村鳳凰冢出土。

高25.7、口徑18.5厘米。

一套共八件，選其一。平頂蓋罩于子口上，蓋頂中有半環鈕，周列三長方形鈕。鼎身爲子口直肩、弧腹圜底，肩出雙附耳，腹接三蹄足。肩腹間有凸弦紋箍帶一道。器和蓋均有“國子”二字。

現藏山東省博物館。

蟠螭紋卵形鼎

東周

山東滕州市城關鎮出土。

高29、口徑13.5厘米。

器體如上端被削去的卵形，蓋已佚失。子口，肩部附耳，下腹接三隻細長的蹄足。肩飾稀疏的蟠螭紋帶一周。

現藏山東省滕州市博物館。

齊趫父鬲

東周

山東臨朐縣泉頭村乙墓出土。

高11、口徑17.5厘米。

同出兩件，此爲其一。口部外折，沿面寬平，鼓腹聯襠，蹄足寬大，袋足脊背飾寬厚的半“干”字扉棱，扉棱兩側飾大首團身龍紋。沿面鑄銘文一周十六字，記齊趫父爲女孟姬作器事。

現藏山東省臨朐縣文物博物館。

魯伯愈父鬲

東周

山東滕州市出土。

高12.5、口徑16.2厘米。

折沿、鼓腹、聯襠、空蹄足。袋足脊部以扉棱爲中心，兩側對飾垂首捲體龍紋。沿面有銘文，記魯伯愈父作器事。

現藏上海博物館。

變形獸紋鬲

東周

山東沂水縣劉家店子1號墓出土。

高21、口徑18厘米。

同出九件，此爲其一。平蓋中部有環鈕，蓋沿有等距四卡口。折沿，聳肩，高聯襠，尖足。肩部飾六組變形獸紋。

現藏山東省文物考古研究所。

魯仲齊甗

東周

山東曲阜市魯故城望父臺48號墓出土。

通高41.1、口徑31厘米。

分體甗，由甑與錡組合而成。甑部爲侈口曲頸，附耳折肩，甑底有十字形鏤孔爲箅。錡部作罐帶蹄足的圜底釜形，肩部也有附耳。甑、錡間以子母口相套接。甑頸飾重環紋，腹飾波曲紋。甑內壁鑄銘四行十八字，記魯仲齊作器事。

現藏山東曲阜市文物管理委員會。

杞伯敏亡簋

東周
山東新泰市出土。
高24、口徑20.5厘米。
圈頂覆盤形蓋罩于器的子口外。器斂口鼓腹，螺角獸首形鋬，圈足下接三獸首小足。蓋壁及器肩飾帶目竊曲紋，蓋面和器腹飾横瓦紋，圈足飾垂鱗紋。
現藏上海博物館。

陳侯午簋

東周
高33.5厘米。
敞口曲頸，鼓腹較淺，圈足下接方座簋，腹兩側伸出曲頸昂首的龍首爲鋬。器腹和方座均飾波曲紋。腹内有銘十行三十五字，記田齊桓公“陳侯午”十四年爲先母作祭器事。
現藏臺北故宫博物院。

龍耳方座簋

東周
山東淄博市臨淄區出土。
高33.5、口徑22.5厘米。
覆盤形器蓋，蓋的捉手爲外撇的鏤空花瓣。器侈口束頸，鼓腹圈足，足下方座。最有特點的是該簋的雙鋬，作從下腹伸出的曲頸龍首之形。蓋面、器腹和方座均飾波曲紋，頸飾重環紋，圈足飾鱗紋。
現藏美國舊金山亞洲藝術博物館。

鑄子叔黑臣𥂴

東周
傳山東桓臺縣出土。
高17.8、寬27.6厘米。
蓋、器相對，造型、紋飾、銘文相同，所不同的衹是器沿有卡口。蓋和器均爲斜壁平底（頂），曲尺形足，斜壁兩側施獸首環耳。蓋、器對銘四行十七字，記鑄子叔黑臣作器事。
現藏故宫博物院。

陳曼𥂴

東周
高10.5厘米。
長方形淺盤，折沿、直壁、斜腹、平底，器壁兩側對置半環耳，底部四角向下伸出四隻足，足底呈曲尺形。共有銘文四行二十二字，記齊國陳曼作器事。
現藏臺北故宫博物院。

龍紋盆

東周
高14、口徑31厘米。
盆爲侈口、束頸、鼓腹、平底，頸肩處對置獸首環耳。頸飾斜角變形龍紋，腹飾反轉變形龍紋。
現藏山東省淄博市齊國故城遺址博物館。

龍紋盆

東周
山東曲阜市魯故城201號墓出土。
高11、口徑21.3厘米。
侈口、曲頸、折肩、平底，肩腹轉折處對置獸首環耳。頸飾蟬紋，腹飾帶目反轉雙首龍紋，龍首眼睛突起，好似乳釘。
現藏山東省曲阜市文物管理委員會。

乳釘紋敦

東周

山東淄博市臨淄區褚家莊出土。

高17.4、最大徑67厘米。

蓋如倒置的圜底三足盤，蓋沿有卡口。器也如圜底三足盤，但沿下有頸，折肩下對置環耳，腹稍深，三蹄足也略大。蓋面和器壁均飾乳釘紋。

現藏山東省淄博市齊國故城遺址博物館。

雷乳紋敦

東周

高14厘米。

垂直的蓋壁套在器的子口上，蓋頂近平，中心設環，周邊有三隻小蹄足爲鈕。器鼓腹圜底，腹較淺，兩側對置環耳，下有三隻細蹄足。蓋面及器腹均飾菱格形雷紋，菱格交界處施乳釘紋，下腹另飾垂葉紋一周。

現藏美國舊金山亞洲藝術博物館。

荆公孫敦

東周

高17、寬25.2厘米。

弧頂的器蓋放置于器口，蓋沿有三卡口。器身爲侈口束頸，淺腹圜底，腹壁兩側帶環形耳，蓋面和器底各有三隻蹄形小足。通體素面飾乳釘紋。蓋内有銘文十五字，記荆公孫自作膳敦事。

現藏故宫博物院。

人形足敦

東周

山東淄博市臨淄區河崖頭村出土。

高13、口長11.6、寬11厘米。

圜頂蓋罩于器口，蓋面有四環鈕。器腹較深，肩兩側施環耳，圜底旁列三個跪坐人形足。蓋面和器腹均飾麻點襯地的蟠螭紋。

現藏山東省淄博市齊國故城遺址博物館。

盛形敦

東周
山東莒縣中樓鄉于家溝村出土。
高15.5厘米。
敦作扁球盛形。弧頂蓋，蓋面無通常的環鈕，祇在蓋壁兩側對置環耳。器有子口，鼓腹平底假圈足，器肩兩側也對置環耳，與蓋上環耳相應。蓋沿和器口飾一周蟠螭紋。
現藏山東省莒縣博物館。

陳侯午敦

東周
高20.5、口徑17.8厘米。
蓋器相合如球形。蓋、器對置三環爲鈕和足，器口下兩側置環耳。器表素面無紋飾，內底有銘八行三十六字，記齊桓公（陳侯午）用各諸侯所獻青銅爲先母作祭器事。
現藏中國國家博物館。

魯大司徒厚氏元鋪

東周

山東曲阜市林前村出土。

高28.3、口徑25.1厘米。

帶蓋，蓋形如覆盤，上有鏤空花瓣狀捉手。器身爲折沿方唇，直腹，粗圈足鏤空且中腰折收。蓋面、器腹和圈足上均飾以凸起而粗放的蟠螭紋。蓋器對銘，共四行二十五字（含重文二）："魯大司徒厚氏元作善鋪，其眉壽萬年，子子孫孫永寶用之。"此鋪捉手呈開放的花瓣形，具有齊魯文化特色，鋪上遍布的紋飾，顯得華麗繁富。

現藏故宫博物院。

花瓣捉手蓋豆

東周

山東沂水縣劉家店子1號墓出土。

高36.8、口徑23.5厘米。

蓋隆起如覆碗，捉手如鏤空的七瓣花，蓋沿有四卡口。豆爲淺腹圜底，曲柄，喇叭圈足。器表通飾蟠虺紋帶，其上下有三角紋，圈足飾鏤孔垂鱗紋。

現藏山東省文物考古研究所。

高柄弦紋豆

東周
山東淄博市臨淄區姚王村鳳凰冢出土。
高40、口徑25.1厘米。
同出銅豆六件，選其一。淺盤，長柄，喇叭形圈足，柄部飾三組凹弦紋，每組三道。
現藏山東省博物館。

鑲嵌勾連雲紋豆

東周
山東濟南市長清區崗辛墓葬出土。
高25.7、口徑18.5厘米。
蓋扣于器的子口上，二者均好似一件單獨的銅豆，衹是蓋的腹和柄皆短，器的腹和柄皆長而已。蓋頂捉手和器柄都是上粗下細，圈頂和圈足扁平如璧。蓋面與盤外均飾紅銅絲與緑松石嵌錯而成的勾連雲紋。
現藏山東省博物館。

左關鉌

東周
山東膠州市靈山衛古城出土。
高10.8、口徑19.4厘米。
半球形體，一側有流狀凸起。通體素面，刻有“左關之鉌”的銘文。
現藏上海博物館。

鳳鳥鈕鉌

東周
山東濟南市長清區歸德鎮出土。
高16.5、長22、寬19.5厘米。
橢方形器。平頂坡面蓋罩于器口之上，坡面四角各有一鳳鳥形鈕。器爲子口，器壁上直下斜，兩側中部對置縱瓦紋環鈕。器表素面無紋飾。
現藏山東省文物考古研究所。

龍耳尊

東周

高38.5、口徑35厘米。

尊口斜侈，肩部圓轉，下接圓臺狀大圈足，肩腹間鑄接回首捲尾的爬龍爲耳。肩飾斜角雲紋，腹飾横瓦紋，圈足飾雲雷紋，龍身則滿布羽鱗紋。此尊的造型、紋飾和龍的形態都很别致，具有江淮間地方特色。

現藏上海博物館。

瓦紋罍

東周

山東沂水縣出土。

高53.4、口徑25.1厘米。

蓋如倒扣的斜壁碗，圈頂捉手内以立體的短尾鳥爲鈕。器斜侈口，粗短頸，廣折肩，斜腹接平底，肩腹間聳起銜環的獸首耳。通體以横瓦紋爲裝飾。

現藏山東省博物館。

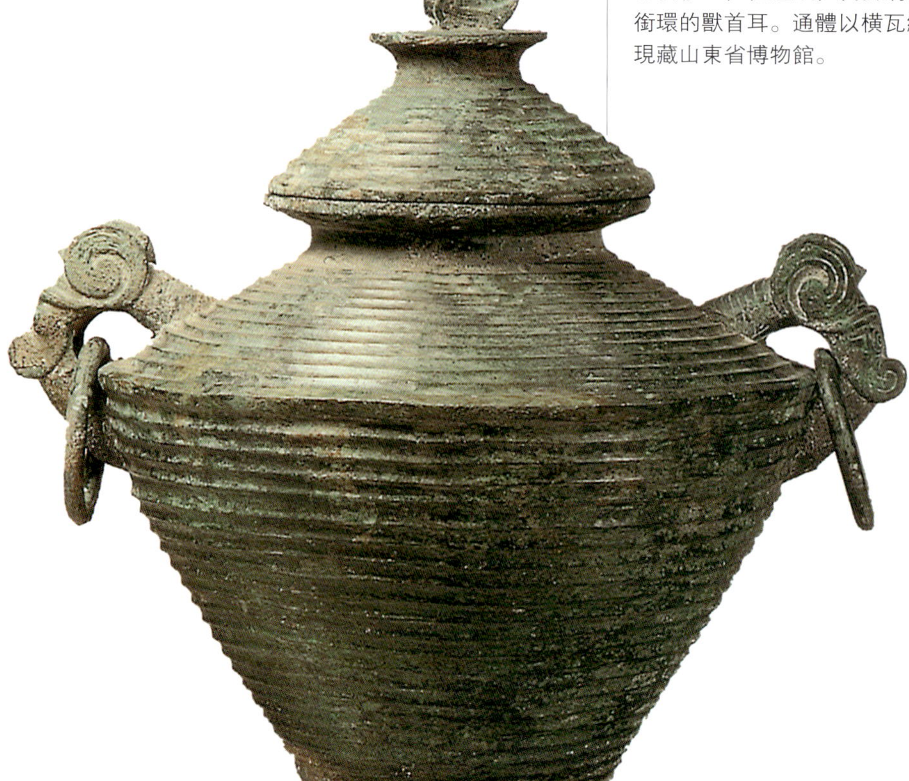

斜角龍紋罍

東周
山東莒縣寨里河鄉老營村出土。
高33、口徑14.5厘米。
小子口，原先應罩有蓋，蓋已失。器爲斂口，廣圓肩，底接圈足之形，肩腹轉曲處有四個半環耳。肩部飾簡化的斜角龍紋兩道，腹部上飾斜角龍紋，下飾大垂葉紋。
現藏山東省莒縣博物館。

雙首龍紋罍

東周
山東龍口市徵集。
高26.3、口徑16.3厘米。
折沿直頸，廣肩微鼓，肩腹折轉，短腹平底，肩兩側立門形獸首耳。通體飾三層雙首龍紋帶，紋帶從上至下逐層變寬，雙首龍紋的構形也逐層變得複雜。紋飾于統一中蘊含變化。
現藏山東省烟臺市博物館。

雙首龍紋罍

東周
山東莒縣天井汪村出土。
高40.7、口徑16.8厘米。
兩件成對，此爲其一。傘形蓋罩于器口外，蓋頂有環鈕。器爲小口斜頸，廣肩，肩腹圓轉，短腹平底，肩上立套環的門形龍首對耳。蓋面、肩部、腹部均飾以帶目的雙首龍紋，龍眼凸起，好似乳釘。
現藏山東省博物館。

國差罎

東周
高34.6、口徑24.6厘米。
小口平折沿，短直頸，廣折肩，肩下設對稱的四個銜環鋪首。腹部緩收，圜底近平。素面，肩部鑄銘文十行五十二字，銘文大意是國差當政那年，工師□在西郭鑄造了四件裝酒的銅罎，用來祈求侯氏多福無咎，齊國安寧無事，子孫永遠昌盛。國差，一般認爲即《左傳》中的國佐，他于魯成公十八年（公元前573年）被殺，此器的鑄造年代當在此之前。
現藏臺北故宮博物院。

提鏈簋形壺

東周

山東蓬萊市村里集鎮出土。

高10、口徑6厘米。

壺矮小如簋或盛。圜頂蓋，蓋頂有立體的鳥形鈕。器身爲斂口、鼓腹、圈足，肩兩側有半環耳，耳內繫環鏈的提梁，提梁已殘斷。蓋面和器肩各飾稀疏的蟠螭紋一周。

現藏山東省烟臺市博物館。

陳喜壺

東周

山西太原市徵集。

高47.5、口徑18.5厘米。

侈口，束頸，垂腹，圈足。頸部對置獸首銜環雙耳。通體飾波曲紋三周。頸內近口處有銘文五行二十五字，記陳喜作器事。

現藏山西博物院。

公子土折壺

東周

山東臨朐縣楊善出土。

高47、口徑9.2厘米。

蓋沿與器頸均對置環耳，内穿提鏈，下腹一側有環耳，飾弦紋兩周，餘皆素面。頸部刻銘六行三十九字，記公子土折作賸器事。

現藏山東臨朐縣文物博物館。

鋪首提鏈壺

東周

山東曲阜市魯國故城3號墓出土。

高37.5、口徑8.6厘米。

壺體瘦長，口插圜頂矮蓋，蓋面兩側有鈕套環，提鏈從環中穿過。小口長頸，腹部圓鼓，下接圈足。肩兩側有銜環鋪首，環與提鏈相連，鏈上有弓形捉手。通體素面。

現藏山東曲阜市文物管理委員會。

莒大叔瓠壺

東周
山東莒縣中樓鄉于家溝村出土。
高34.6、口徑8.2厘米。
小口曲頸，圓腹平底，腹一側出兩個半環耳，內套直梁式鋬。通體素面，頸下有銘二十八字，記莒大叔之子平作壺事。此壺不同于通常瓠壺的是，蓋一側另加管流，已具有盉的基本特點。
現藏山東省莒縣博物館。

紀侯壺

東周
山東萊陽市前河前村出土。
高34.5、口徑6.6厘米。
匏形器，頸與下腹各飾二獸首形鼻，交錯排列，器身飾三角紋、波曲紋和獸體捲曲紋。圈足飾繩紋。器底外鑄銘三行十三字“己侯作鑄壺，使小臣以汲，永寶用”。
現藏山東省烟臺市博物館。

鷹首提梁壺

東周

山東諸城市臧家莊出土。

高56、口徑12.5厘米。

器蓋與器身相合成鳥首，蓋面即爲鳥面，有凸起的鳥目和鳥喙的上半，器口前端的尖流即爲鳥喙的下半，造型非常巧妙。器身爲曲頸、溜肩、深腹、矮圈足的形制，頸兩側的鈕上套有提梁，腹部後側有小環。器表全飾以横瓦紋，裝飾簡潔。

現藏山東省諸城市博物館。

交龍紋方壺

東周

山東濟南市長清區仙人臺出土。

高63厘米，口長20.2、寬15.5厘米。

一對兩件，此爲其一。壺爲橢方壺類，蓋的長舌插于器口，弧形蓋壁上出橢方形捉手。器直口長頸，長肩垂腹，下接大圈足。頸兩側出龍首耳，龍頭上立鳥頭，耳内套環。圈頂内飾兩條交龍，蓋壁飾立鱗紋，器頸飾波曲紋，腹飾高浮雕狀共首雙身交龍紋。蓋、頸有銘文。

現藏山東大學歷史系。

杞伯敏亡壺

東周
山東新泰市出土。
高40.6厘米，口長17.5、寬13厘米。
橢方壺類。侈口、曲頸、垂腹、大圈足，頸兩側有龍首耳，耳内套環。除圈足飾凸弦紋兩道外，器表均以不同類型的竊曲紋爲裝飾，頸飾反轉雲目竊曲紋，肩腹部的主紋以絡帶將每面劃爲四區，每區内填中間獨目的對捲雲形竊曲紋。器壁鑄銘二十一字。
現藏上海博物館。

薛侯行壺

東周
山東滕州市薛國故城出土。
高22厘米。
扁方壺類，體態似錍。直壁平頂蓋，蓋頂立鳥爲鈕，兩側有鋪獸銜環與提鏈相連。壺直口、短頸、鼓腹、平底，頸兩側有獸首耳，内套環鏈提梁，下腹一側有獸首環鼻。頸飾簡化的竊曲紋。一側腹外壁有“薛侯行壺”的四字銘文。
現藏山東省鉅野縣文物管理所。

蟠螭紋扁壺

東周
山東蓬萊市村里集鎮出土。
高27.2厘米。
壺斷面爲橢圓形，當稱作錍。侈口曲頸，鼓腹平底，頸兩側有環耳，腹一側出環鼻。肩部飾稀疏的蟠螭紋一周，下接對龍的垂葉紋。
現藏山東省烟臺市博物館。

竊曲紋匜

東周
山東曲阜市魯國故城202號墓出土。
高31、寬17厘米。
前有略翹起的槽形流，後有龍形鋬，腹接四隻龍形扁足。鋬的龍尾捲起爲珥，龍背起齒狀脊棱。沿下飾簡化竊曲紋，腹飾横瓦紋。
現藏山東省曲阜市文物管理委員會。

鄠仲匜

東周

山東臨朐縣泉頭村甲墓出土。

高22、長42厘米。

前爲上昂的槽形流，後爲垂首的龍形鋬，下面的四足也爲垂首捲尾的龍形，與鋬同。龍長螺角，背起脊棱。其口飾簡化竊曲紋帶，腹飾横瓦紋。内底鑄銘三行二十字，記鄠仲爲女作媵器事。

現藏山東省臨朐縣文物博物館。

魯士商叡匜

東周

高15.9、長28.5厘米。

槽形流，龍形鋬，獸首四扁獸。沿下飾重環紋帶，腹飾瓦横紋。内底有銘文一行六字“魯士商叡作匜”。

現藏遼寧省旅順博物館。

魯伯厚父盤

東周
高21、寬42.4厘米。
平沿、淺腹、圈足，盤壁兩側有附耳。器腹和圈足皆飾龍紋。盤内底鑄銘二行十字，記魯伯厚父爲女兒作媵器事。厚氏出自魯孝公，其年代自然當在東西周之際或稍後。
現藏故宫博物院。

魯伯愈父盤

東周
山東滕州市鳳凰嶺出土。
高12.9、口徑38.8厘米。
平口、淺腹、圈足，附耳有雙梁與其口相連。腹飾變形竊曲紋，圈足飾垂鱗紋。盤内底鑄銘，記魯伯愈父爲女兒出嫁邾國作媵器事。
現藏上海博物館。

齊縈姬盤

東周

高15.5、口徑50厘米。

附耳圈足盤，耳頂有浮雕狀二卧獸。腹壁和圈足均飾蟠螭紋，螭目突起，好似小乳釘。内底有銘四行二十三字，記縈姬爲侄女作媵器事。

現藏故宫博物院。

蟠虺紋盤

東周

山東沂水縣劉家店子2號墓出土。

高14.8、口徑49厘米。

附耳圈足盤，耳兩側飾圓雕狀雙龍紋，内面飾共首雙身龍紋，外面飾交虺紋。盤外壁飾蟠虺紋，圈足飾竊曲紋。

現藏山東省文物考古研究所。

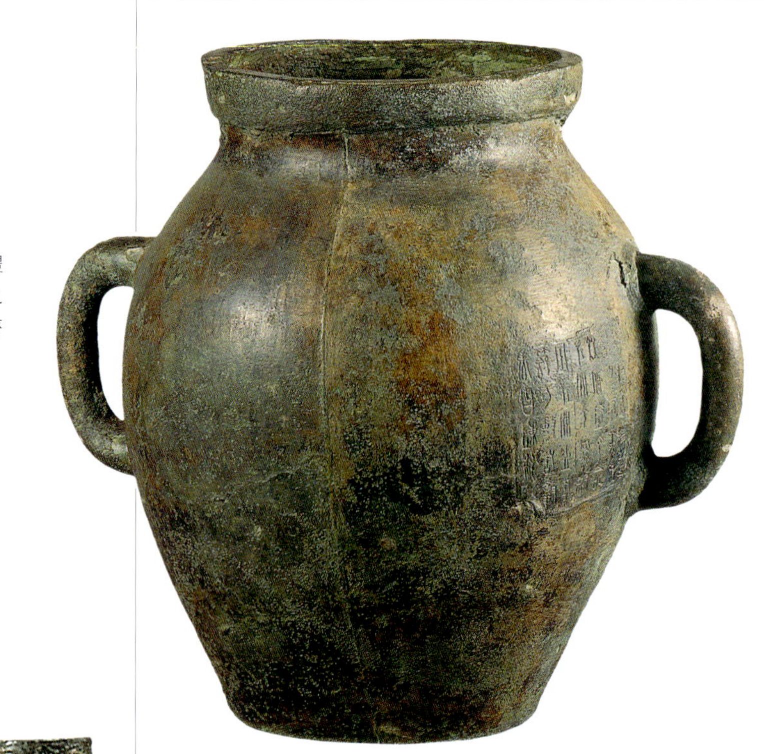

陳純釜

東周

山東膠州市靈山衛古城出土。

高39、口徑23厘米。

直口束頸，鼓腹平底，腹兩側對置半環耳。通體素面。腹外壁有銘三十四字，記其爲齊國倉廩之標準量器。同出有子禾子釜和左關鋘，對研究齊國量制有重要價值。

現藏上海博物館。

邾公鐘

東周

高50.9、銑間25.3、鼓間19.5厘米。

鐘屬甬鐘類。甬上小下大，有旋有幹，幹作獸首。體如上小下大的合瓦，鼓部較長，于部較低，圓臺座柱形長枚。篆部飾反轉雙首龍紋，鼓部飾簡化對龍紋。鉦部及鼓側共鑄銘三十六字，内容是邾公自述其族源。

現藏上海博物館。

莒公孫朝子鐘

東周
山東諸城市臧家莊出土。
高38厘米。
同出九件，此爲其一。鐘屬鈕鐘類。上有拱門形鈕，下爲合瓦形體，枚如乳釘。鈕飾斜角雲紋，舞部和鼓部飾勾連雷紋，鉦部和篆部飾散虺紋。于部寬邊上鑄銘十七字，記莒公孫朝子作器事。
現藏山東省諸誠市博物館。

莒公孫朝子鎛

東周
山東諸城市臧家莊出土。
高30.4厘米。
同出七件，此爲其一。鐘體較短，周壁微鼓，乳釘形枚，舞部上以兩條立體的龍相交爲鈕。舞、鉦、鼓部飾勾連雲龍紋，篆部飾散虺紋。于部鑄銘一行十六字，記莒公孫朝子作器事。
現藏山東省諸城市博物館。

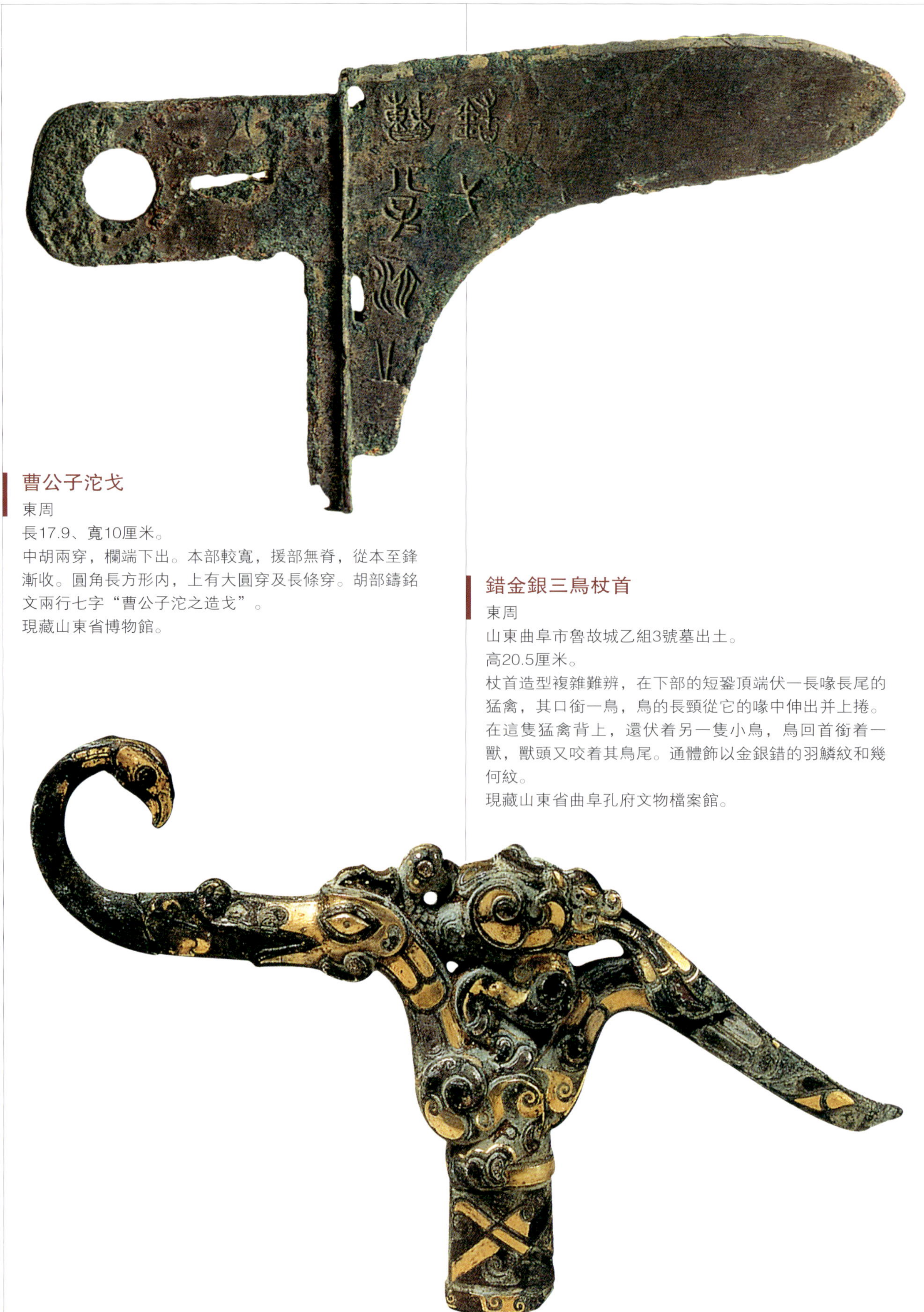

曹公子沱戈

東周

長17.9、寬10厘米。

中胡兩穿，欄端下出。本部較寬，援部無脊，從本至鋒漸收。圓角長方形内，上有大圓穿及長條穿。胡部鑄銘文兩行七字“曹公子沱之造戈”。

現藏山東省博物館。

錯金銀三鳥杖首

東周

山東曲阜市魯故城乙組3號墓出土。

高20.5厘米。

杖首造型複雜難辨，在下部的短銎頂端伏一長喙長尾的猛禽，其口銜一鳥，鳥的長頸從它的喙中伸出并上捲。在這隻猛禽背上，還伏着另一隻小鳥，鳥回首銜着一獸，獸頭又咬着其鳥尾。通體飾以金銀錯的羽鱗紋和幾何紋。

現藏山東省曲阜孔府文物檔案館。

金銀錯雲龍紋帶鈎

東周
山東曲阜市魯國故城51號墓出土。
長12厘米。
寬琵琶形體，獸頭形鈎首，鈎背有圓鈕。鈎身表面以金銀錯浮雕蟠龍紋及捲雲紋，就連鈎背圓鈕上也以金銀錯捲雲紋。
現藏山東省曲阜市文物管理委員會。

鎏金鑲玉帶鈎

東周
山東曲阜市魯國故城58號墓出土。
長11厘米。
帶翼怪獸呈不對稱造型。獸首爲鈎，雙翅如波浪翻轉，共同擁抱鈎身中部鑲嵌的玉龍。帶鈎背面有圓鈕。帶鈎通體鎏金并鑲嵌緑松石圓泡。
現藏山東省曲阜市文物管理委員會。

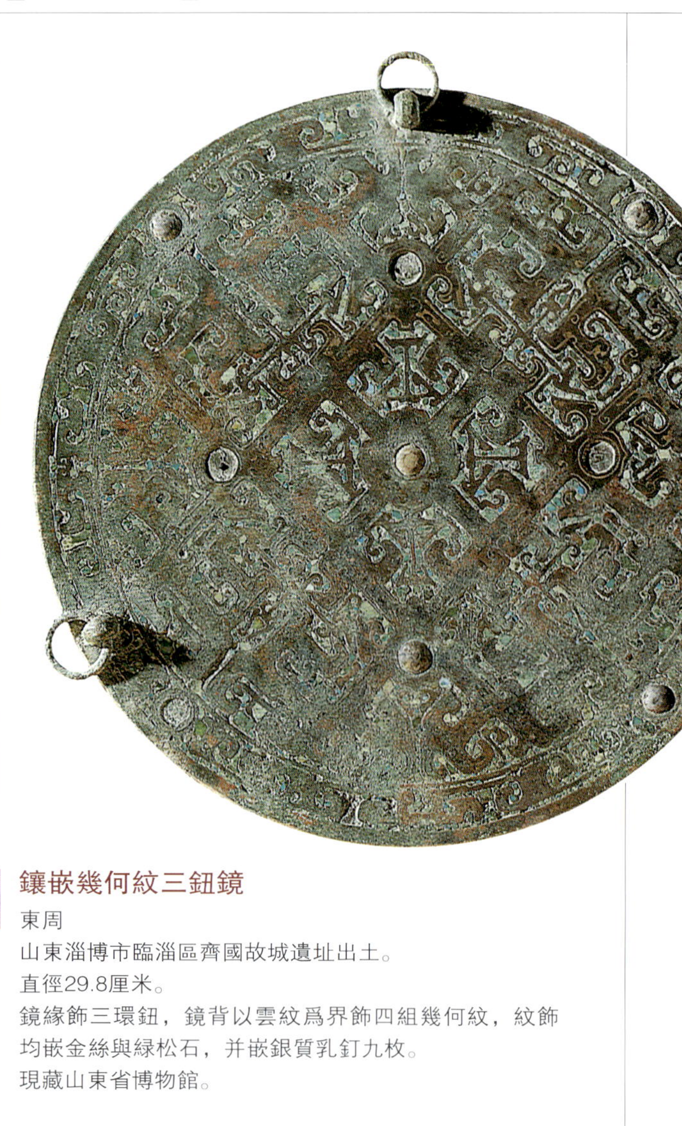

鑲嵌幾何紋三鈕鏡

東周

山東淄博市臨淄區齊國故城遺址出土。

直徑29.8厘米。

鏡緣飾三環鈕，鏡背以雲紋爲界飾四組幾何紋，紋飾均嵌金絲與綠松石，并嵌銀質乳釘九枚。

現藏山東省博物館。

方座鳥柱挂架（右圖）

東周

山東濟南市長清區仙人臺邿國墓地出土。

通高48.5、座高9.6、底座邊長16厘米。

覆斗形底座，正中立一細圓柱，柱的中間貫穿一飛鳥，柱的頂端承托一飛鳥。鳥尖喙突目，頭向不同。底座通體飾蟠螭紋，螭首眼睛凸起，好似乳釘。杆頂的鳥頸有挂物磨損痕迹。

現藏山東大學歷史系。

立馬

東周
山東平陰縣孝直鎮出土。
高15、長15厘米。
馬作正首伫立狀，頭頸和四足較短小，身體（尤其是臀部）碩大。鬃毛齊整，馬尾盤結。身上飾粗放的雲氣紋。腹前部篆體的“駐”字。
現藏山東省平陰縣博物館。

嵌緑松石卧牛

東周
山東平陰縣孝直鎮出土。
高9.7、長14.5厘米。
牛側卧回首的姿態，四足蜷曲，雙角好似羊角，尾貼于臀上。通體鑲嵌緑松石磨成的尖葉形斑點紋。
現藏山東省平陰縣博物館。

獸體捲曲紋鼎

東周
河南信陽市明港出土。
高26.5、口徑25厘米。
獸蹄形足。腹中部凸飾弦紋，上、下腹均飾獸體捲曲紋。
現藏河南省信陽市文物管理委員會。

番昶伯者君鼎

東周
河南信陽市楊河村出土。
高24.6、口徑22.5厘米。
獸蹄形足，腹中部凸飾弦紋，上飾獸體捲曲紋，下飾蟠龍紋。腹內壁鑄銘四行十九字。
現藏河南省信陽市文物管理委員會。

龍紋鼎

東周
安徽肥西縣柿樹崗小八里村出土。
高22、口徑22.5厘米。
蓋中央有扁鼻鈕，與兩耳相應處有凹口。獸蹄形三足。蓋飾獸體紋，腹飾龍紋，足上部飾獸面紋。
現藏安徽省博物館。

變形獸紋鼎

東周
安徽六安市孫家崗思古潭出土。
高27、口徑24厘米。
立耳外侈，蹄形三足。平蓋中央有環鈕，與耳對應處有凹口。頸、腹各飾短扉棱六道。蓋面及頸均飾變形獸紋，腹飾三角蟬紋。
現藏安徽省博物館。

黃夫人鼎

東周
河南光山縣寶相寺出土。
高24.2、口徑25.3厘米。
三蹄足中空。腹中部凸飾繩紋，上飾蟠虺紋，立耳外飾獸體捲曲紋。口沿下有銘文一行十四字。
現藏河南省信陽市文物管理委員會。

蟬紋銅蓋鼎

東周
安徽六安市孫家崗出土。
高27、口徑24厘米。
雙耳外侈，近蹄形足，平蓋，蓋中央置半環形鈕。蓋面飾波曲紋，腹上部飾蟠虺紋，下飾蟬紋，間飾扉棱。
現藏安徽省博物館。

獸體捲曲紋鼎

東周
安徽壽縣蕭嚴湖魏崗出土。
高18.7、口徑17.4厘米。
立耳微外侈，三蹄足。耳外側飾聯珠紋，腹飾獸體捲曲紋與斜角雲紋相間紋帶。底部有三角形鑄痕與烟炱痕。
現藏安徽省壽縣博物館。

鄴子宿車鼎

東周
河南羅山縣高店村出土。
高31、口徑26.5厘米。
蓋周有三鳥形捉手，中有環鈕。外撇耳，腹中部凸飾弦紋。獸蹄形足，足上部浮雕獸首。蓋內有銘文三行十六字。
現藏河南省信陽市文物管理委員會。

獸體捲曲紋鼎

東周

安徽舒城縣河口鎮幸福村窖場出土。

高31.8、口徑26厘米。

蓋頂有扁平門鈕，沿有三矩形鈕。蓋、腹均飾獸體捲曲紋，矩形鈕飾雷紋，耳飾圓點紋。

現藏安徽省皖西博物館。

獸首鼎

東周

安徽舒城縣鳳凰嘴出土。

高27.7、口徑19.8厘米。

獸形鼎身，獸頭有二角，嘴無孔，以扉棱爲獸尾。蓋前翹與獸頸相合，中有環鈕。蓋、頸、腹部均飾變形獸紋和獸體捲曲紋，腹兩側飾蟠龍紋。

現藏安徽省壽縣博物館。

羊首鼎

東周
安徽壽縣蕭嚴湖魏崗出土。
高11、口徑9.2厘米。
鼎身一側突出羊首，羊嘴無孔，三外鈎扁足。平蓋中有環鈕，一側作扇尾狀下斜，飾雷紋，另一側有凹口以納羊頸。蓋沿内面鑄凸棱一周，可扣入器口。
現藏安徽省壽縣博物館。

獸目紋簋

東周
河南潢川縣彭店村出土。
高24.5厘米。
螺角獸首形對耳，下有垂珥。圈足下接三獸首形足。蓋沿與器頸均飾獸目紋，圈足飾垂鱗紋，餘飾瓦紋。
現藏河南省潢川縣文化館。

樊君盆

東周
河南信陽市平橋區出土。
高20、口徑25.7厘米。
圓形捉手，蓋沿有獸首形扣，環形對耳。蓋、頸飾蟠龍紋，腹飾蟠龍紋、獸體紋，頸、腹間凸飾繩紋一周。
蓋、器對銘三行十一字，記樊君夔自作器事。
現藏河南省信陽市文物管理委員會。

子諆盆

東周
河南潢川縣老李店村出土。
高19.2、口徑28厘米。
腹飾獸首銜環對耳，蓋中部有三卧牛狀鈕。蓋、器通飾乳釘蟠龍紋。器、蓋對銘四行十二字，記子諆作器事。
現藏河南省信陽市文物管理委員會。

鄝子宿車盆

東周

河南羅山縣高店村出土。

高29、口徑31.8厘米。

蓋沿有三虎形鈕、口有三扣，獸首銜環形對耳。通體飾乳釘蟠虺紋。蓋、器對銘四行二十字，記鄝子宿車作器事。

現藏河南省信陽市文物管理委員會。

黃夫人豆

東周

河南光山縣寶相寺出土。

高23、口徑15.6厘米。

蓋頂有方形捉手，高圈足上有三角形鏤孔。通體素面。腹内鑄銘三行十六字。

現藏河南省信陽市文物管理委員會。

番叔壺

東周

河南信陽市平橋區出土。

高25、口徑8厘米。

肩、腹飾獸目交連紋，頸外有銘四行十二字。

現藏河南信陽地區文物管理委員會。

垂鱗紋壺

東周

河南信陽市明港鎮出土。

高23.3、口徑8.1厘米。

肩對設獸形貫耳，飾蟠龍紋，腹飾垂鱗紋。

現藏河南省信陽市文物管理委員會。

黄夫人壺

東周

河南光山縣寶相寺出土。

高30.7、口徑10.3–12厘米。

蓋頂飾環鈕，頸飾回首龍形對耳。蓋面飾獸體紋，腹飾三角紋和蟠蛇紋。頸有銘文四行十六字。

現藏河南省信陽市文物管理委員會。

孫叔師父壺

東周

高32.4厘米。

橢方形體，壺體矮胖。侈口曲頸，長肩垂腹，圈足很大，頸兩側有回首虎形耳。肩部有凸弦紋兩道，其上的肩部和其下的腹部飾蟠虺紋。頸外側鑄銘三十一字，記孫叔師父作器事。

現藏日本東京根津美術館。

捲龍紋方壺

東周

河南潢川縣劉砦出土。

高24厘米，口長11.5、寬9.5厘米。

子母口，蓋佚失。頸飾對鳥紋，兩面中部浮雕獸面。腹飾捲龍紋，圈足飾曲折三角紋。

現藏河南省信陽市文物管理委員會。

黄夫人罏

東周

河南光山縣寶相寺出土。

高27、口徑16.7厘米。

獸首形對耳，折肩凹底。蓋面飾獸體捲曲紋，肩、腹飾三周蟠虺紋。折肩處有銘文二行十五字，記黄子爲夫人作器事。

現藏河南省信陽市文物管理委員會。

黄君孟罏

東周

河南光山縣寶相寺出土。

高23、口徑15.6厘米。

折肩，腹底凹。肩飾蟠虺紋。下有銘文一行十五字，記黄君孟自作器事。

現藏河南省信陽市文物管理委員會。

黄夫人盉

東周

河南光山縣寶相寺出土。

高18.2、口徑11.2厘米。

甑、鬲合體，間飾圓形木篦，無孔。

捲曲角形鋬，獸首形流。口沿下有銘文七行十六字。

現藏河南省信陽市文物管理委員會。

鱗紋盉

東周

安徽肥西縣柿樹崗小八里村出土。

高19.2、口徑15.2厘米。

鉢、鬲合體，短流曲鋬。鉢頸飾鱗紋，餘皆素面。

現藏安徽省博物館。

鬲形盉

東周
河南光山縣寶相寺出土。
高17、口徑9.2厘米。
直口平蓋。獸首角形鋬，圓筒形短流，通體素面。
現藏河南省信陽市文物管理委員會。

獸鋬盉

東周
安徽廬江縣泥河鎮胡崗出土。
高17、口徑14.4厘米。
長曲柄獸頭形鋬，分襠款足。盤口束頸，器身素面。
現藏安徽省博物館。

捲鋬盉

東周

安徽六安市燕山村出土。

高20.2、口徑11.5厘米。

鋬端捲曲，分兩段，中有鋬，鋬端上、下有穿。蓋頂有蘑菇形捉手，分襠尖足。蓋、耳間飾夔形雷紋。襠底有烟炱。

現藏安徽省博物館。

單匜

東周

河南羅山縣高店村出土。

高20、長32厘米。

龍首形鋬，以捲尾爲垂珥，四獸形扁足。沿下飾獸體捲曲紋，腹飾瓦紋。匜内有銘文三行十五字，記單自作器事。

現藏河南博物院。

樊夫人匜

東周

河南信陽市平橋區出土。

高19.5、通長16.1厘米。

瓢形器、流上昂，龍首形鋬，四獸形扁足。沿下飾竊曲紋，腹飾瓦紋。器底有銘二行九字“樊夫人龍嬴自作行匜”。

現藏河南省信陽市文物管理委員會。

番昶伯者君匜

東周

河南信陽市楊河村出土。

高18.7、長36.5厘米。

瓢形器。龍首形鋬，四扁獸足。沿下飾竊曲紋，腹飾瓦紋。匜內有銘文四行二十字，記番昶伯者君自作器事。

現藏河南省信陽市文物管理委員會。

交龍紋匜

東周

安徽懷寧縣金拱鎮楊家牌村出土。

高31.4、長56厘米。

瓢形器，龍形鋬，蹄形三足。腹飾交龍紋、弦紋，此爲江淮間出土的最大一件匜。

現藏安徽省懷寧縣文物管理所。

獸目交連紋匜

東周

安徽肥西縣柿樹崗小八里村出土。

高17、長31厘米。

螺角獸首形鋬，四獸形扁足。沿下飾雲紋，腹飾獸目交連紋。

現藏安徽省博物館。

龍紋匜

東周
安徽天長市潭井村出土。
高16.7厘米。
瓢形器，獸蹄形足，環形鋬頂有平面扇形飾，腹飾龍紋和捲曲紋。流下有一乳釘。
現藏安徽省天長市博物館。

黄夫人匜

東周
河南光山縣寶相寺出土。
高16.8厘米，口長31.3、寬14厘米。
龍首形鋬，四扁獸足。沿下與腹部均飾獸體捲曲紋。器內有銘文，漫漶不清。
現藏河南省信陽市文物管理委員會。

番君白歔盤

東周

河南潢川縣彭店村出土。

高12、口徑31.5厘米。

圈足下附三獸首形足。盤外壁飾獸體捲曲紋，圈足飾鱗紋，盤中心飾蟠龍紋，内底周圍飾獸體紋帶。二者間鑄銘文一周十八字，記番君白歔自作器事。

現藏河南省潢川縣文化館。

番君白歔盤内底

單盤

東周

河南羅山縣高店村出土。

高17、口徑41.8厘米。

圈足下有四伏獸承托。腹飾獸體捲曲紋，圈足飾鱗紋。盤内有銘文三行十八字，記單自作器事。單前兩字被有意刮去。

現藏河南博物院。

鄬子宿車盤

東周

河南羅山縣高店村出土。

高9.2、口徑39.4厘米。

獸首銜環對耳，腹凸飾繩紋。盤内鑄銘三行十五字，記鄬子宿車作器事。

現藏河南省信陽市文物管理委員會。

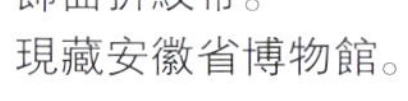

交龍紋方簋

東周
安徽肥西縣柿樹崗小八里村出土。
高6.2、口徑8厘米。
方形器，簋蓋四角翹起，可倒置。腹四面置四環，下附矮圈足。蓋、腹均飾龍紋，圈足飾曲折紋帶。
現藏安徽省博物館。

黄夫人方座

東周
河南光山縣寶相寺出土。
高13.6厘米。
盝頂形器，器頂有方形插座。器身斜面飾鱗紋，直面飾獸體捲曲紋。盝頂有銘三行十一字，記黄子爲夫人孟姬作器事。
現藏河南省信陽市文物管理委員會。

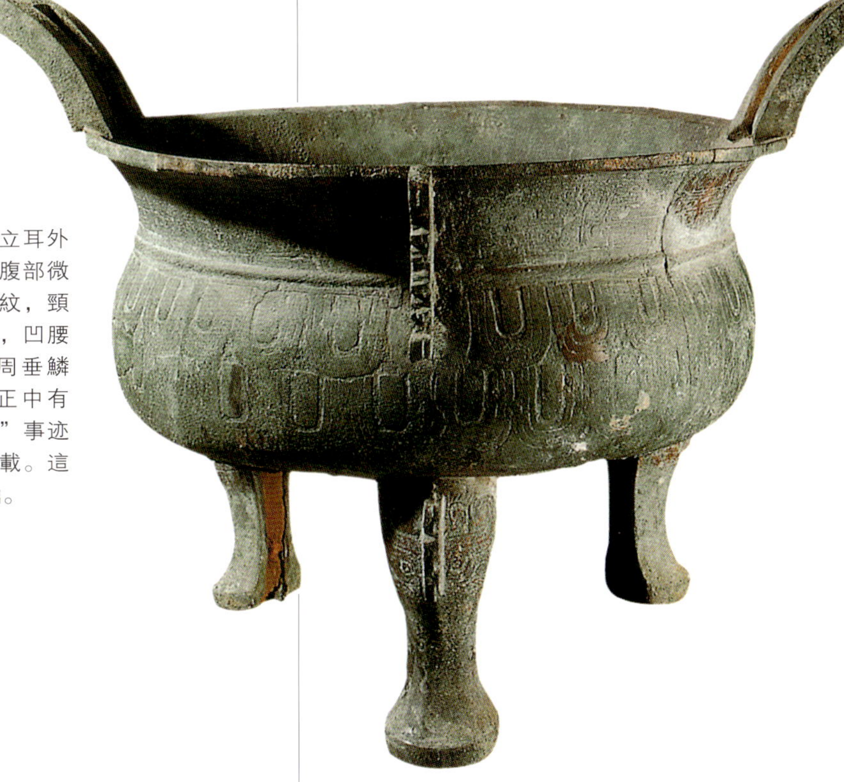

克黃鼎

東周

河南淅川縣和尚嶺1號墓出土。

高46、口徑26厘米。

屬亞腰平底升鼎。鼎的形制爲立耳外撇，侈口方唇，收頸，束腰，腹部微鼓，平底蹄足。鼎耳飾三角形紋，頸部飾蟠螭紋，并有兩個獸形飾，凹腰處飾絢索紋一周，腹部飾二周垂鱗紋，足上飾獸面，鼎的底部正中有“克黃之升”的銘文。“克黃”事迹在《左傳》楚莊王九年中有記載。這是目前所知年代最早的楚式升鼎。

現藏河南省文物考古研究所。

蔡侯鼎

東周

安徽壽縣西門蔡侯墓出土。

高46.5、口徑44厘米。

一套七件，大小相次，内均附匕，選其一。侈口斜頸，立耳外撇，束腰淺腹，平底下接三蹄足。器身飾獸形扉棱六道，足上部各飾一雲形扉棱。腹内有銘文二行六字。

現藏安徽省博物館。

王子午鼎

東周

河南淅川縣下寺2號墓出土。

高68、口徑66厘米。

鼎一套七件，形制相同，大小相次，此爲最大的一件。蓋頂有橋形鈕。立耳外撇，侈口方唇，束腰鼓腹，口沿與下腹間置六個昂首凹腰揚尾的怪獸形扉棱，平底下接粗矮的蹄足。鼎外表裝飾極爲繁富。蓋面爲蟠螭紋兩周，鼎耳、口沿、腰飾浮雕狀蟠虺紋，頸上和腹部則滿布細小的蟠虺紋，鼎足上部飾帶扉棱的浮雕狀獸面。蓋上有銘文“倗之升鼎”，器腹則鑄銘文十四行八十六字（包括重文五），記王子午自作這套鼎，用來祭祀皇祖文考，以求長壽多福。根據《左傳》，王子午楚康王二年（公元前558）爲令尹，死于楚康王八年（公元前552年），此鼎當鑄于此六年間。

現藏河南省文物考古研究所。

曾侯乙鼎

東周

湖北隨州市擂鼓墩曾侯乙墓出土。

高35.2、口徑45.8厘米。

立耳外撇，方唇斜頸，束腰直腹，淺腹平底，底邊置三蹄足。器身外壁有四條立體的爬龍，龍頭上尾下，口銜着器沿。通體飾陰綫的雲氣紋等，其内似乎填有礦物質顔料。口沿鑄“曾侯乙作持用終”的銘文。

現藏湖北省博物館。

曾侯仲子父鼎

東周

湖北京山縣蘇家壠出土。

高32.7、口徑38.2厘米。

同出九件，兩件有銘，此爲最大的一件。捲沿侈口，淺腹圜底，兩側附耳與器沿間有横梁相連，下有三蹄足。耳外側飾反轉斜角雲紋，頸飾竊曲紋。内壁鑄“曾侯仲子父自乍鼒彝”的銘文。蘇家壠這套九鼎雖然有銘文有無的分别，但各鼎形態和紋飾相同，大小相次，應該具有九鼎組合的寓意。

現藏湖北省博物館。

鑄客鼎

東周
安徽壽縣朱家集李三孤堆大墓出土。
高51、口徑48厘米。
出土共九件，其中兩件有刻銘的爲一組，七件無銘文的紋飾特點相同，當爲另一組。此爲有銘升鼎中的一件。口微敞，平沿内折，耳外侈，立于口沿上，直壁束腰，腰部一周箍飾，平底，三蹄足，稍外撇，足根部飾獸面紋。上腹外壁對稱飾四虎，張嘴捲尾，攀援而上，探首于口沿。雙耳和腹部布滿米字格散虺紋。口沿下刻銘文“鑄客爲王后七府爲之”。
現藏安徽省博物館。

蟠虺紋鼎

東周
湖北當陽市金家山9號墓出土。
高31.8、口徑33.6厘米。
蓋頂有透空圈形捉手，邊緣有三扁方形卡口。直耳，三獸首蹄足。蓋、腹均飾蟠虺紋，腹下部飾蕉葉紋。
現藏湖北省宜昌市博物館。

鄧公乘鼎

東周
湖北襄樊市襄陽區山灣出土。
高26.6、口徑21.4厘米。
蓋頂有五柱圈形捉手。子母口，直耳，三獸首蹄足。蓋面及腹部均飾繩紋和蟠虺紋，耳飾蟠虺紋，蓋、器對銘，記鄧公乘自作器事。
現藏湖北省博物館。

蔡侯鼎

東周

安徽壽縣蔡侯墓出土。

高48.5、口徑35.5厘米。

同出九件，此爲其一。平蓋，中有環鈕，周有三扁獸形鈕，雙附耳外撇，三獸首形高蹄足。腹飾凸弦紋一周。餘皆素面。蓋、腹同銘兩行六字。

現藏安徽省博物館。

蟠虺紋鼎

東周

安徽壽縣蔡侯墓出土。

高47.5、口徑23.5厘米。

小口直頸，圓腹圜底。雙耳稍外侈，三蹄足。腹飾細密蟠虺紋、繩紋及圓圈狀凸飾。

現藏安徽省博物館。

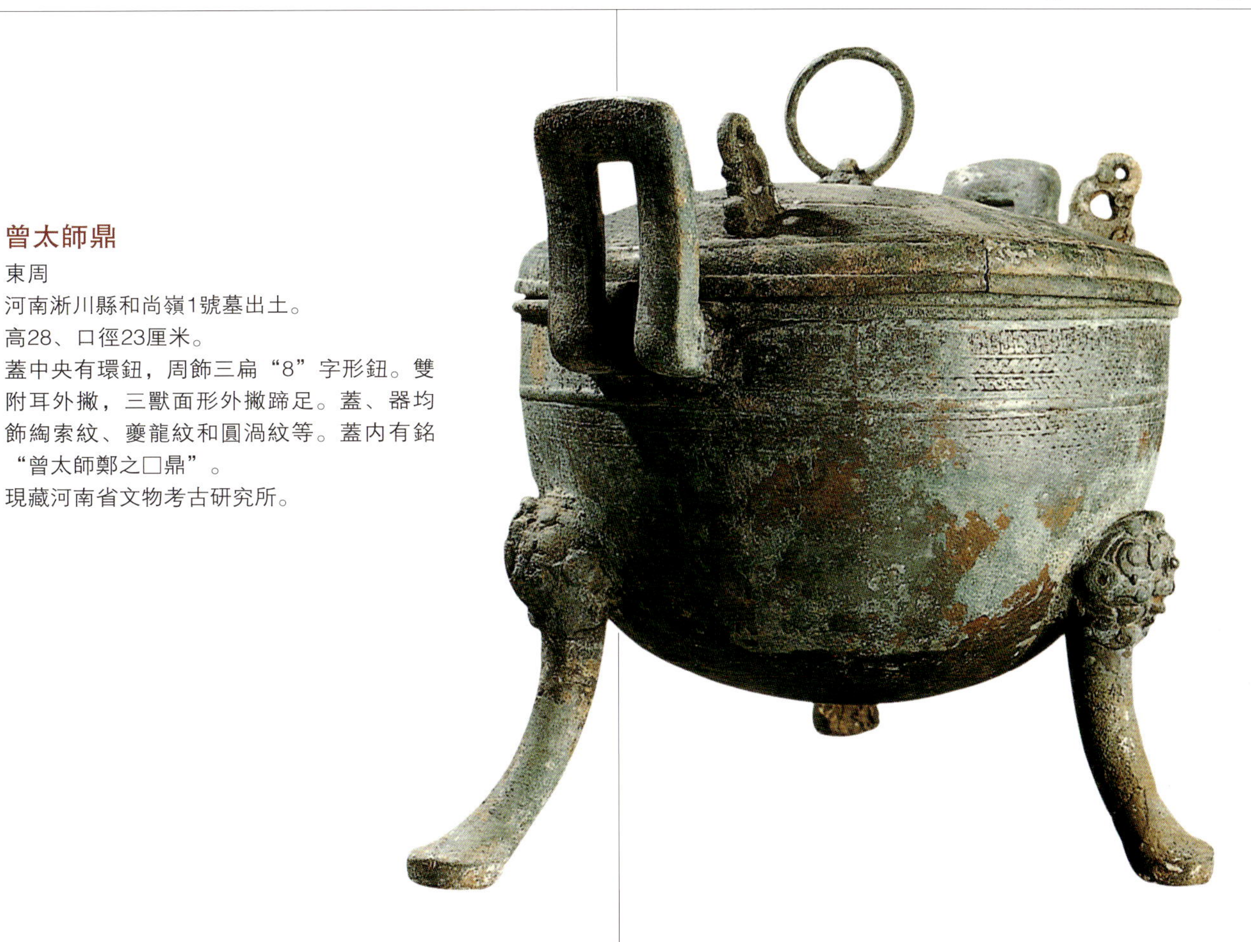

曾太師鼎

東周
河南淅川縣和尚嶺1號墓出土。
高28、口徑23厘米。
蓋中央有環鈕，周飾三扁“8”字形鈕。雙附耳外撇，三獸面形外撇蹄足。蓋、器均飾綯索紋、夔龍紋和圓渦紋等。蓋内有銘“曾太師鄭之□鼎”。
現藏河南省文物考古研究所。

曾侯乙鼎

東周
湖北隨州市擂鼓墩曾侯乙墓出土。
高20.6、口徑23.6厘米。
蓋頂飾橋形鈕，中銜活環，外沿立三環鈕。雙附耳，三浮雕獸首蹄足。蓋、器飾蟠龍紋、幾何雷紋和渦雲紋。蓋内、器腹内壁對銘“曾侯乙作持用終”。
現藏湖北省博物館。

王后鼎

東周
高17.1、口徑11.4厘米。
蓋佚。器爲子口、深腹、圜底，肩有對稱的二環耳，下接三隻細小的獸面蹄足。腹以四道凹弦紋分割成五個帶狀面，中間三層有填朱漆的紋飾，其中上、下層爲雲雷紋，中層爲三角雲紋。口外沿有“王后之御器”的銘文。
現藏北京市保利藝術博物館。

卧牛鈕鼎

東周
湖北荆門市包山2號墓出土。
高28.3、口徑24厘米。
蓋沿有三卧牛形鈕，蓋頂中心有環鈕。雙附耳，三瘦高蹄足。器底有烟炱痕。
現藏湖北省博物館。

鑄客大鼎

東周

安徽壽縣朱家集李三孤堆大墓出土。

高112、口徑87厘米。

折沿方唇，束頸附耳，雙耳粗巨外撇，鼓腹平底，三隻粗壯的的蹄足安置于腹側。鼎的肩部有兩道箍狀弦紋，足上飾浮雕狀對雲紋。鼎口沿刻“鑄客爲集綴□□□□綴爲之”十二字，另在鼎足上有“澧□”兩字。“集綴”可能爲楚國主管祭祀的機構，該鼎是專爲楚王主管祭祀的機構鑄造的祭器，故高大雄偉，造型穩重，體態匀稱，是楚國銅鼎的造型藝術發展到最後階段的一個杰作。

現藏安徽省博物館。

四聯鼎

東周
安徽太湖縣長河水利工地出土。
高15、口徑10.8厘米。
四聯鼎，四鼎相同，腹部相聯，共六個附耳，四蹄足，蹄足中部可內折。子母口圓拱形蓋，中心有鈕，周沿有三犧鈕。
現藏安徽省博物館。

曾侯乙鼎

東周
湖北隨州市擂鼓墩曾侯乙墓出土。
通高20.6-21.4、口徑11.1-11.8厘米。
同出十件，出土時內均置匕，選四件。直口，尖圓底，三獸面紋，蹄形高足。上腹飾勾連紋，下腹飾垂葉紋。
現藏湖北省博物館。

倗湯鼎

東周

河南淅川縣下寺2號墓出土。

高41.5、口徑23厘米。

小口鼎類。口罩直壁弧頂蓋，蓋頂設門形鈕，周列三環鈕。小口直頸，肩部立耳，圓球形腹，腹側接上部浮雕獸面的三蹄足。蓋面及蓋壁飾反身龍紋，器肩部飾凸弦紋兩道，其內及其下飾蟠螭紋。蓋壁及器口各鑄銘文一行八字“楚叔之孫倗之湯鼎”，可知此器屬鼎類，名湯鼎。

現藏河南省淅川縣博物館。

曾侯乙湯鼎

東周

湖北隨州市擂鼓墩曾侯乙墓出土。

高38.5、口徑25.7厘米。

小口鼎類。直壁凹平頂蓋，蓋頂凸起的周邊對列四環鈕。小口直頸，圓肩鼓腹，圜底蹄足。肩兩側雙回首龍形鈕內套環鏈的提手。蓋和器均以游龍紋爲主，但有所變化。如肩飾正首游龍紋，腹飾反首游龍紋加圓渦紋，後者給人以後來的“二龍戲珠”的感覺。蓋內壁與肩部鑄“曾侯乙作持用終”的銘文。

現藏湖北省博物館。

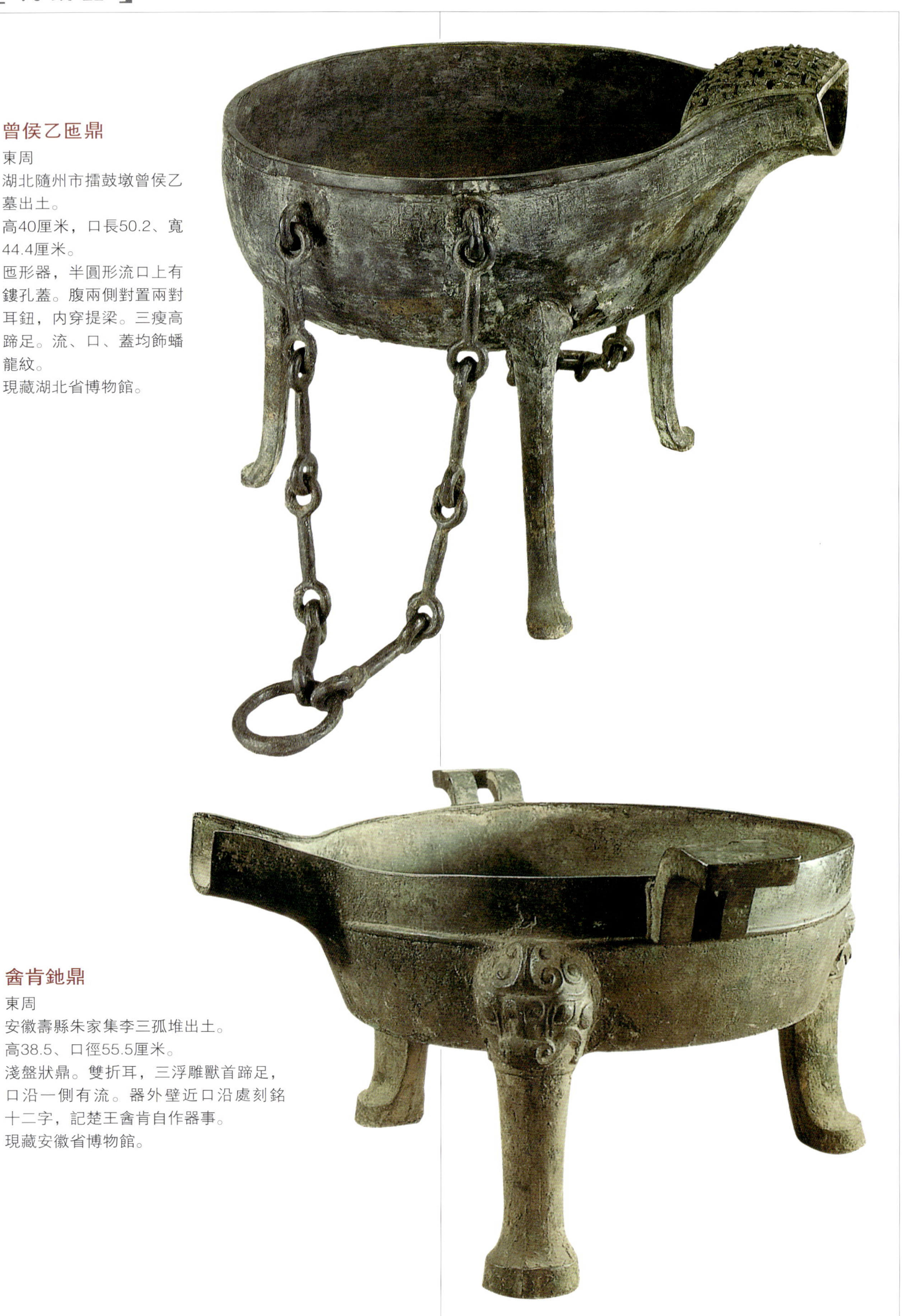

曾侯乙匜鼎

東周
湖北隨州市擂鼓墩曾侯乙墓出土。
高40厘米，口長50.2、寬44.4厘米。
匜形器，半圓形流口上有鏤孔蓋。腹兩側對置兩對耳鈕，内穿提梁。三瘦高蹄足。流、口、蓋均飾蟠龍紋。
現藏湖北省博物館。

酓肯鈋鼎

東周
安徽壽縣朱家集李三孤堆出土。
高38.5、口徑55.5厘米。
淺盤狀鼎。雙折耳，三浮雕獸首蹄足，口沿一側有流。器外壁近口沿處刻銘十二字，記楚王酓肯自作器事。
現藏安徽省博物館。

透雕變形龍紋俎

東周
河南淅川縣下寺2號墓出土。
高24、長35.5、寬21厘米。
仿漆俎鑄造。俎面呈中間低兩側高的凹面長方形，下接四隻外傾的凹槽形足，足的上部加寬。俎面及四足均飾透空的曲尺形紋，餘飾變形龍紋。
現藏河南博物院。

蟠虺紋鬲

東周
河南淅川縣下寺1號墓出土。
高28、口徑27.4厘米。
口稍外捲，鼓腹聯襠，三柱足外撇，造型優雅別致。肩部飾蟠虺紋帶一周。
現藏河南博物院。

交龍紋鬲

東周
河南淅川縣下寺2號墓出土。
高12.6、口徑15.5厘米。
兩件成對，出土時内附有匕，此爲其一。鬲爲斜折沿、束頸、弧肩、鼓腹、聯襠、蹄足，口腹間攀附圓雕狀回首短尾怪獸六個，肩腹部飾較粗放的蟠螭紋。沿鬲口鑄銘文十五字（内重文二），銘文起首的人名已被刮去，文字最多一鬲也衹餘“自乍（作）薦鬲，子子孫孫永保用之”，作器者已不可知。下寺薦鬲獸耳造型複雜，玲瓏剔透，係失蠟法鑄製。
現藏河南省文物考古研究所。

繩紋鬲

東周
湖北隨州市擂鼓墩曾侯乙墓出土。
高36.3、口徑40.2厘米。
折沿，束頸，扁襠，三款足。通體飾繩紋。器底部有烟炱痕迹。
現藏湖北省博物館。

曾侯乙鬲

東周

湖北隨州市擂鼓墩曾侯乙墓出土。

高12.1、口徑15厘米。

同出四件，形體較小，選其一。弧襠蹄足鬲，腹飾扉棱，間飾鳥首龍紋和雲紋。口沿均刻銘文“曾侯乙作持用終”。

現藏湖北省博物館。

龍紋方甗

東周

湖北京山縣蘇家壠出土。

通高52厘米，甑口長36、寬22.5厘米。

甑、鬲合體。甑底有二十四個長條形箅孔，頸、下腹飾竊曲紋，腹中部飾象首龍紋。分襠四蹄足鬲，腹飾目紋。

現藏湖北省博物館。

曾侯乙甗

東周

湖北隨州市擂鼓墩曾侯乙墓出土。

通高64.9、口徑47.8厘米。

由甑、鬲組成。甑頸對置蜷曲雙龍形耳，平底有八放射狀箅孔，頸、腹嵌錯勾連雲紋、垂葉紋等裝飾，上腹中部有環形鼻鈕。鬲弧襠式足，通體素面。

現藏湖北省博物館。

鑄客甗

東周

安徽壽縣朱家集李三孤堆出土。

通高78、口徑44.5厘米。

甑爲直口附耳，直頸平底，底有箅孔。锜爲釜形鼎，小口直領，器體扁圓，肩上一對向外撇的立耳，腹下粗壯的三蹄足。器表光素，僅在锜腹有凸弦紋一道，足上部有浮雕狀獸面。甑口刻“鑄客爲集□鑄爲之”八字，一耳另有“十”刻符。

現藏安徽省博物館。

曾侯乙匕（上圖）

東周
湖北隨州市擂鼓墩曾侯乙墓出土。
長45.8、寬9.2厘米。
柄部扁平，微拱，後段呈梯形，飾鏤孔幾何紋，前段較窄，中部有銘“曾侯乙作持用終”。銘文兩側與後段紋飾上均鑲嵌緑松石。
現藏湖北省博物館。

倗子棚簋

東周
河南淅川縣下寺2號墓出土。
高30.5、口徑27厘米。
兩件成對，僅一件保存完整。蓋隆起作覆碗形，上有圈足狀捉手。器身子口納于蓋内，弧肩，鼓腹，平底，圈足上斜下直并附以三小足。在器身兩側安獸首狀雙耳，蓋、身各施高聳的夔龍狀扉棱四道。器上紋飾以横瓦紋爲底，蓋下部、器肩部及圈足上各飾蟠螭紋寬帶一周，下腹兩道瓦溝中則填以重環紋。銘文鑄于蓋内，共三行九字“楚叔之孫倗子棚之簋”。
現藏河南博物院。

蔡侯簋

東周

安徽壽縣蔡侯墓出土。

高36.7、口徑23.9厘米。

蓋頂有鏤空五蓮瓣形捉手，蓋沿有四獸面形卡扣。浮雕獸首形雙耳，方座四壁下側有方形缺口。通體飾交龍紋。蓋、器對銘，記蔡侯紳作器事。

現藏中國國家博物館。

曾侯乙簋

東周

湖北隨州市擂鼓墩曾侯乙墓出土。

高31.8、口徑22.2厘米。

蓋頂中心有五瓣蓮花形鈕，蓋沿有三獸面形卡扣。龍形雙耳，圈足下接方座。蓮花形鈕瓣飾雲紋，蓋沿、器腹、方座飾嵌錯鳳鳥紋、雲紋。器蓋與內壁對銘“曾侯乙作持用終”。

現藏湖北省博物館。

曾仲斿父鋪

東周

湖北京山縣蘇家壠出土。

高20.2、口徑25.6厘米。

鋪盤直口淺腹，飾竊曲紋。喇叭形柄足，上下均飾鏤孔波曲紋。内壁鑄銘七字。

現藏湖北省博物館。

何次瑚

東周

河南淅川縣下寺8號墓出土。

高18.8、口長29.5厘米。

蓋器同形，可以倒置。蓋的圈頂和器的圈足外侈，中央設扁桃形壺門。蓋面和器腹坡面較長，而四壁較短，側坡面各有分鑄的半環耳一隻。蓋沿四中有獸首形卡口，器表滿布蟠虺紋。器底正中鑄銘四行三十四字，記畢孫何次自作器事。

現藏河南省文物考古研究所。

子季嬴青鍸

東周

湖北襄陽市山灣出土。

高21.5厘米，口長30、寬23厘米。

蓋、器相對。直口，斜壁，平底，矩尺形足。短邊兩側飾獸形耳，蓋口沿部有獸首形卡扣。通體飾交龍紋。蓋器同銘二十四字，記子季嬴青作器事。

現藏湖北省博物館。

蔡公子義工簠

東周

河南潢川縣高稻場出土。

高10、長30、寬20厘米。

直口，斜壁，平底，矩尺形足。腹短邊兩側均飾獸首形耳。通體飾細密蟠虺紋。內底有銘文二行八字，記蔡公子義工作器。

現藏河南博物院。

曾侯乙豆

東周

湖北隨州市擂鼓墩曾侯乙墓出土。

高26.4、口徑20.6厘米。

蓋周飾四獸形鈕，蓋沿有三獸面形卡扣，豆盤兩側對置蛇形環耳。通體飾龍紋、鳳紋，多鑲嵌綠松石。蓋内與腹内壁對銘“曾侯乙作持用終”。

現藏湖北省博物館。

嵌紅銅獸紋豆

東周
安徽壽縣蔡侯墓出土。
高34、口徑17厘米。
蓋頂有四獸形鈕，可倒置。器壁有四等距環耳。通體以紅銅嵌錯獸紋。
現藏安徽省博物館。

勾連雲紋豆

東周
湖南湘鄉市新坳村出土。
高24、口徑16.2厘米。
蓋、器形制相近，飾勾連雲紋和幾何雲紋。原有鑲嵌物，現脱落。
現藏湖南省博物館。

鑄客豆

東周

安徽壽縣朱家集出土。

高14.4、口徑23.3厘米。

直口，圓腹，高柄，圈足。通體素面。器口刻銘九字，記“鑄客爲王后六室爲之”。

現藏故宫博物院。

素面方豆

東周

湖北江陵縣藤店1號墓出土。

高29.5厘米，口長19.8、寬17.1厘米。

同出兩件，選其一。蓋中有蓮瓣狀捉手，圓柱柄中空。上部飾凸弦紋一周。

現藏湖北省荆州博物館。

鑲嵌獸紋方豆

東周

河南固始縣侯古堆出土。

高30.5厘米。

兩件成對，此爲其一。蓋和盤爲形制相同的覆斗形，蓋頂四角、蓋壁及豆盤兩側各焊接一環鈕，蓋沿飾八個獸首形卡口，盤的平底接八角形細柄，柄下承以柱礎狀器座。器表均以錯紅銅的神獸紋爲主題：蓋頂中央飾圓渦紋，四邊以連梭紋爲邊框，其間飾以四對夔龍紋；蓋壁及器壁各飾三層對龍或對鹿紋，其間以連梭紋相分隔；器柄每面皆飾一梭形，圈足上也有一周對龍紋和連梭紋。蓋器對銘，銘文爲“似之食奇”。

現藏河南博物院。

鄎子行盆

東周
湖北隨州市鰱魚嘴出土。
高17.2、口徑21厘米。
肩對飾環耳，蓋頂有喇叭形捉手。蓋内底有銘文十字，記鄎子行作器事。
現藏湖北省博物館。

環耳蹄足敦

東周
河南潢川縣高稻場出土。
高20.3、口徑22.6厘米。
蓋頂有六柱環形捉手，蓋沿與器頸均飾四環鈕。三獸面蹄形矮足。通體素面。
現藏河南博物院。

蟠龍紋敦

東周

湖北當陽市金家山楚墓出土。

高19.8、口徑21.3厘米。

蓋頂有鏤空圈形捉手，蓋面飾三環鈕。器頸兩側對置獸首形耳，下腹中部兩側對置環鈕。三矮蹄足。蓋腹均飾以綯索紋爲界欄的蟠龍紋，下腹飾垂葉紋。

現藏湖北省宜昌市博物館。

變形蟠虺紋敦

東周

河南淅川縣下寺10號墓出土。

高23.5、口徑22厘米。

蓋器相對，合爲球形。蓋頂飾三環鈕，蓋沿與器頸兩側對置環耳，均飾綯索紋。三蹄形矮足。蓋頂飾火紋，餘飾交龍紋、幾何紋和變形蟠虺紋。

現藏河南博物院。

鑲嵌雲紋敦

東周

湖北秭歸縣樹坪鎮斑鳩窩村出土。

高22.8、口徑17.5厘米。

蓋、器造型相對，相合做球形。頂飾三獸形鈕，腹兩側對置環鈕、口沿有三獸形卡扣。通體飾幾何雲紋，以鑲嵌物填地。

現藏湖北省博物館。

嵌錯三角雲紋敦

東周

高25.6、口徑18.6厘米。

蓋和器形態紋飾全同，二者間以子母口扣合，整器如卵形。蓋上器下對置勾環形三鈕或三足，蓋和器口兩側置帶尾環。器表口部飾以相補的連續三角形對雲紋，其上下界以斜角勾雲紋，蓋面和器底飾以長方形捲雲紋，所有紋樣都以紅銅和銀的細絲嵌錯而成。

現藏上海博物館。

曾侯乙提鏈盉

東周

湖北隨州市擂鼓墩曾侯乙墓出土。

高29、口徑44.6厘米。

弧頂形蓋，蓋沿有四個卡口，蓋面立有四個環鈕，頂設蛇形環鈕。器爲平沿、直頸、矮圈足，器頸對置龍首雙耳，内套提鏈。前後腹部中央對置環耳。蓋面、器頸、器腹和圈足均以勾連雲紋爲飾，下腹還飾以垂葉紋，紋飾鑲嵌有緑松石。蓋、器内壁對銘“曾侯乙作持用終”。

現藏湖北省博物館。

鑲嵌雲紋盒

東周

湖南長沙市出土。

高13.5、口徑16.6厘米。

蓋沿有四捲龍形鈕，腹兩側對置鋪首銜環耳，矮圈足。通體鑲嵌雲紋。

現藏湖南省長沙市博物館。

鑲嵌龍紋鉚

東周

河南淅川縣下寺2號墓出土。

高12厘米，口長18.4、寬11.8厘米。

橢圓造型的容器。弧頂蓋罩于器口外，蓋頂有一環鈕。器口略斂，圓肩，平底，腹兩側飾獸首環耳。通體以紅銅鑲嵌龍紋和幾何紋。

現藏河南博物院。

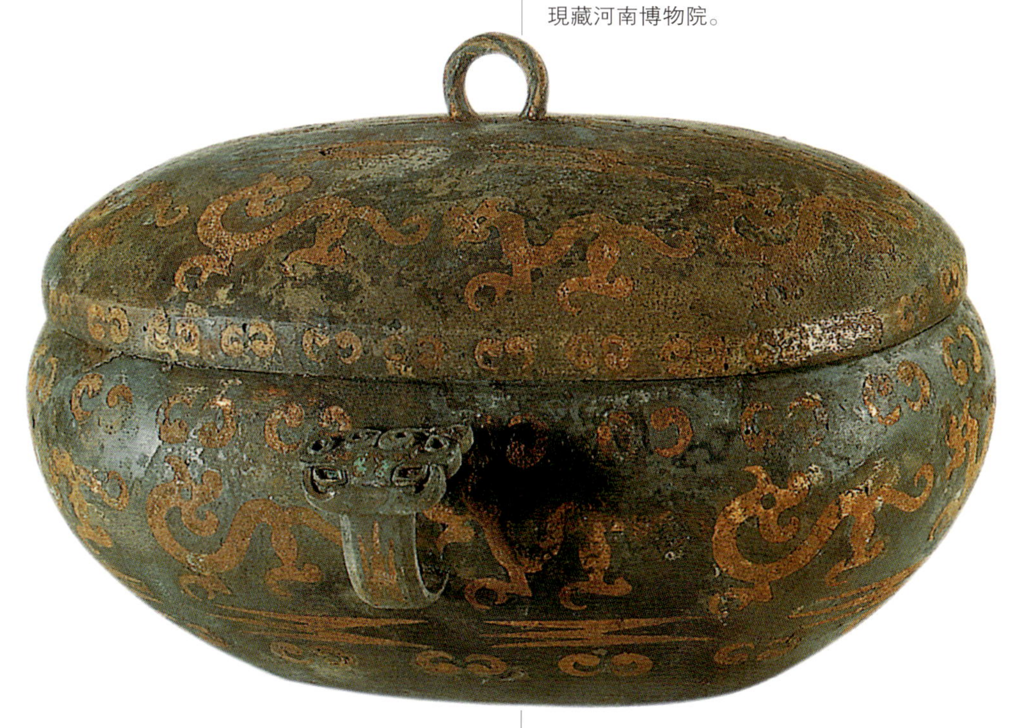

蟠虺紋龍耳鈿

東周
湖北襄樊市襄陽區山灣出土。
高5厘米，口長11.7、寬9.7厘米。
平面造型呈橢圓形。口微内斂，沿凸圓唇，腹部略鼓，腹兩側對置裝飾有立體龍首的環耳。口沿下的器表飾蟠虺爲主紋，其下飾三角雲紋。
現藏湖北省博物館。

鷹流杯

東周
湖北荆門市包山2號墓出土。
高7.5、口徑14.3厘米。
整體造型好似帶鷹首的銅豆，杯體則像半個空腔的桃子。前端作伸出的鷹首，折流爲鷹嘴，嘴内銜珠。兩側杯口較低，尾端又略上翹，後端内收成折棱。圜底下接短柄矮圈足，足截面爲橢圓形。造型簡練傳神。
現藏湖北省博物館。

曾仲父方壺

東周
湖北京山縣蘇家壠出土。
高66.7厘米。
蓋周立雕波曲紋，頸對飾獸首銜環耳。蓋沿、器沿飾獸目紋，口下及腹部飾波曲紋，圈足飾鱗紋。蓋及口內對銘。
現藏湖北省博物館。

龍耳方壺

東周

河南淅川縣下寺1號墓出土。

高79厘米，口長22.7、寬18.8厘米。

兩件成對，此爲其一。壺口立冠，冠下沿出獸首四個卡住壺口。壺爲侈口、長頸、凹肩、鼓腹、圈足，頸上短邊爬對稱的回首龍爲耳，圈足長邊下卧兩隻伸頸虎作足。花紋以蟠虺紋爲主：壺冠鏤空成蟠虺，壺頸上飾變形蕉葉紋，下飾變形竊曲紋；肩、腹部用三棱形箍帶分隔爲兩層，每層各四塊，其間肩部填以蟠虺紋；圈足上飾變形環帶紋。在龍耳虎足外表也布滿螭虺紋樣，其中耳多對虺，足爲蟠虺。所有花紋都很細小，極其繁複。

現藏河南博物院。

蔡侯方壺

東周

安徽壽縣蔡侯墓出土。

高80厘米。

蓋頂有鏤空蓮瓣形邊飾，器頸兩側對置回首龍形銜環雙耳，方圈足四隅以昂首怪獸承托。頸飾獸目交連紋。腹飾寬帶絡紋，頸内有銘二行六字，記蔡侯作器。

現藏安徽省博物館。

蟠虺紋提鏈壺

東周

河南淅川縣下寺3號墓出土。

高19、口徑4.7厘米。

直口長頸，深腹微鼓，平底下接三隻卧獸形足。頸兩側對置環耳，耳繫提鏈，提鏈以大圓環爲提手，器蓋兩側耳也套在提鏈上。蓋面飾浮雕狀交龍紋，頸飾三角紋，腹飾蟠虺紋五道。

現藏河南博物院。

綫刻對虎紋鐎壺

東周

河南固始縣侯古堆1號大墓出土。

高19、口徑7.5厘米。

該器形制爲下帶三足的圓壺。口罩傘形弧頂蓋，蓋頂中央環鈕套環。直口，高直頸，肩部平坦，肩上對峙環耳。鼓腹，下接平底。下腹近底處設三隻蹄足，蹄足短小。譙壺外表滿刻花紋，除肩部爲一周帶狀回環紋外，其餘均爲棱形紋相隔的對虎紋。另在蓋頂環鈕旁有圓渦紋。此器造型奇特，紋飾流暢，極爲寶貴。

現藏河南省文物考古研究所。

曾侯乙提鏈壺

東周

湖北隨州市擂鼓墩曾侯乙墓出土。

高40.5、口徑10.7厘米。

壺口罩尖頂蓋，蓋頂有鈕繫環，環内繫鏈與提鏈相連。器爲侈口長頸，圓肩鼓腹，外侈矮圈足。肩對置龍形耳接提鏈，提鏈上部連以雙龍首提梁。蓋面和器頸各飾一道勾連雲紋，頸下飾三角垂葉紋等，腹部在三道勾連雲紋帶的中層，飾有六個凸起的圓渦紋。肩部刻“曾侯乙作持用終”的銘文。

現藏湖北省博物館。

聯禁龍紋壺

東周

湖北隨州市擂鼓墩曾侯乙墓出土。

高99、禁長117.5厘米。

一禁上置雙壺。兩壺大小、形制基本相同。壺蓋隆起，頂有銜環的蛇形鈕，蓋沿外套裝勾連紋的鏤孔蓋罩。壺爲敞口厚唇，長頸鼓腹，瘦高圈足。壺頸兩側攀附兩條拱屈的龍形耳，耳套圓環。禁爲帶四足的長方板，上有并列的凹圓以承兩壺的圈足，四足作獸形，獸以口和前肢托板，後足蹲地。壺頸飾内填蟠螭紋的蕉葉紋，腹有凸棱形的箍帶，其内與壺的其他部分均飾細密的蟠螭紋。器頸内壁均有銘文二行七字“曾侯乙作持用終”。現藏湖北省博物館。

鑲嵌雲紋壺

東周

湖北江陵縣藤店1號墓出土。

高23.3、口徑10.4厘米。

蓋頂有三雲形鈕，圓肩、高圈足，留有範土。器通飾單綫與小塊面相結合的雲紋和蟠虺紋，小塊面内鑲嵌紅銅。

現藏湖北省荆州博物館。

變形龍紋鏈壺

東周

湖南長沙市烈士公園出土。

高37厘米。

壺口罩弧頂蓋，蓋面兩側有二鈕套環與提鏈相連。器爲細長頸，圓鼓腹，下接兩段式圈足。肩兩側設銜環鋪首，環繫提鏈，鏈頂有虹形提梁。器腹下部也有三鋪首爲鼻。口沿與圈足飾斜角雲紋，肩飾三角紋，腹飾兩周蟠虺紋地的變形龍紋。

現藏湖南省博物館。

錯銀立鳥壺

東周

江蘇漣水縣三里墩出土。

高73、口徑19厘米。

口上罩盝頂蓋，蓋面環布三鳥，蓋心開孔，另罩複蓋，複蓋花瓣形鈕上栖一大鳥爲捉手。器身侈口、長頸、斜肩、垂腹、圈足，肩上有兩個獸面環耳，耳各套有一環。圈足下環列三隻展翅立鳥爲器足。壺的表面通體滿布繁複的花紋，有錯銀的蝠紋、斜方和三角雲紋以及緑松石組成的粗大的鋸齒紋和斜方格紋等，并雜以鎏銀的圓泡。

現藏南京博物院。

雲紋壺

東周
湖南長沙市絲茅沖出土。
高30厘米。
蓋周有三獸形鈕，肩飾鋪首銜環對耳。
頸飾三角雲紋，腹、圈足亦飾雲紋。
現藏湖南省博物館。

倗尊缶

東周
河南淅川縣下寺1號墓出土。
高38.5、口徑15.5厘米。
口罩直壁弧頂蓋，蓋頂中央環鈕套環。器身爲小口、短頸、圓肩、鼓肩、矮圈足，肩兩側各有雙環鈕，内穿提鏈。器壁衹在中腹飾蟠螭紋帶一周。器内壁與器口沿均鑄有“倗之尊缶”四字。
現藏河南博物院。

蟠虺紋尊缶

東周
湖北當陽市季家湖楚墓出土。
高24.5、口徑12.1厘米。
器口上覆弧頂矮蓋，蓋周列環鈕四個。器折沿、凸唇、曲頸、圓肩、短腹，下接低矮的大圈足。肩部有四環鈕與蓋鈕相應。蓋面飾捲雲紋，器身飾蟠虺紋，紋樣的綫條較深，綫條間似有鑲嵌物填地。
現藏湖北省宜昌市博物館。

曾侯乙尊缶

東周
湖北隨州市擂鼓墩曾侯乙墓出土。
高126、口徑48.2厘米。
兩件成對，此爲其一。穹窿形斜壁矮蓋，蓋面邊緣對列四環鈕，蓋壁另出一環鈕銜環鏈與器肩蛇形鈕相連。器身斂口無頸，溜肩鼓腹，下腹近底處先收後張，以加大平底着地面積。器腹施對稱的大環鈕四個，環鈕上下的器腹上各施一道箍狀凸弦紋。蓋面花紋作四重套環布局，中央爲六圈不同的紋樣組成的圓餅形圖案，其外在兩周淺浮雕狀多體蟠螭紋，間夾一周平雕狀單體蟠螭紋帶。器身花紋呈五層帶狀布局，上下各爲一周内填變體蟠螭紋的垂葉紋，中間爲三周變體蟠螭紋。肩部鑄銘文二行七字“曾侯乙作持用終”。其器體高大，分上下兩截分鑄，然後鑄接成形，充分反映這一時期曾國鑄銅工藝水平。
現藏湖北省博物館。

書巳缶

東周

高40.8、口徑16.5厘米。

口罩弧頂蓋，蓋周列四環鈕。器身爲平沿、直頸、圓肩、鼓腹、矮圈足，肩腹間也有四環鈕。器鈕上有斜角雲紋，器表光素，以錯金銘文裝飾。銘文位于兩面的頸肩部，計五行四十字，記晋國貴族欒書的後裔“書巳”鑄此缶祭祀皇祖叔虞以求長壽事。此缶的國別和器主有争議，從風格上看是戰國而非春秋，是楚器而非晋器，這却是可以肯定的。

現藏中國國家博物館。

羽翅紋尊缶

東周

湖南益陽市赫山廟出土。

高39、口徑18厘米。

弧形矮蓋，蓋周有四獸首形環鈕，蓋沿置四犄角翹起的獸卡口。器口略内傾，中長頸，圓肩鼓腹，近底處略收，肩腹轉曲處設四個帶獸首的環耳。蓋與身均飾若干羽翅紋帶，在器身中部紋帶的四耳之間，還各有一羽翅紋的凸圓。

現藏湖南省益陽市博物館。

鄬子倗浴缶

東周
河南淅川縣下寺2號墓出土。
高49.6、口徑26.6厘米。
浴缶兩件成對，此爲其一。蓋作覆碗狀掩于器口上，圜頂弧壁，頂上設四環鈕。器身爲直口方唇，短頸圓腹，極矮圈足。在器身肩部兩側設對稱的四環鈕，内套環鏈，環鏈再套大圓環爲提手。器表紋飾嵌紋與鑄紋相間，蓋頂、器肩、器腹均以嵌紅銅的行龍紋爲主，蓋頂與蓋壁之間、器身中腰及足端，則多鑄以蟠虺紋（其中上面兩道蟠虺紋中還間以旋渦紋）。蓋内及器身口沿鑄“楚叔之孫鄬子倗之浴缶”的銘文。鄬子倗浴缶是目前出土的年代最早的嵌錯工藝作品之一，豐富人們了對東周嵌錯工藝的認識。
現藏河南省文物考古研究所。

蔡侯申浴缶

東周
安徽壽縣蔡侯墓出土。
高46、口徑26厘米。
蓋罩于器口外，弧壁凹平頂，頂有六柱環形捉手。器爲直口、聳肩、鼓腹、圈足，肩兩側設雙環鈕套環鏈的提手。蓋壁和器的肩腹間均以六個凸起的圓渦紋爲主紋，并有嵌錯紅銅的紋樣。器口内鑄銘一行十字，記蔡侯申爲長女大孟姬作媵器事。
現藏中國國家博物館。

蔡侯朱浴缶

東周
湖北宜城市安樂垞出土。
高36.7、口徑24.2厘米。
蓋已失。器爲小口直頸，圓肩鼓腹，矮假圈足。肩兩側對置雙環鈕，内穿提鏈。器表素凈，衹在肩腹各飾凸弦紋一道。器上鑄有“蔡侯朱之缶”的銘文。
現藏湖北省博物館。

曾侯乙浴缶

東周
湖北隨州市擂鼓墩曾侯乙墓出土。
高35.9、口徑25厘米。
覆盤形蓋，蓋頂有矮圈形捉手。器身低矮，矮頸、鼓腹、低圈足，肩對置獸首半環耳套提鏈。蓋沿和器肩腹部均凸起圓渦紋，其間及其上下飾變形龍紋、勾連雲紋和三角紋等，所有紋樣均以紅銅嵌錯。蓋内及器肩鑄對銘“曾侯乙作持用終”。
現藏湖北省博物館。

曾侯乙方鑒缶

東周

湖北隨州市擂鼓墩曾侯乙墓出土。

鑒高63.2、缶高51.8厘米。

共出土形制、紋飾基本相同的兩套，此爲其一，出土時還附一長柄帶流勺。鑒口罩方蓋，蓋面中空，以便露出缶口。鑒身斷面基本呈正方形，直口方唇，短頸深腹，圈座附四獸形足，鑒口每邊正中和四角上各加一塊曲尺形和方形附飾，鑒身四面和四角共有八個拱曲攀伏的龍形耳鈕。缶覆盂頂方蓋，蓋壁四脊各有一環鈕。缶身的横斷面呈正方形，直口方唇，鼓腹平底，矮圈足，腹部四邊各有一個竪環耳。方鑒和尊缶主要飾以浮雕的變形蟠螭紋。在方鑒蓋、鑒身内壁和缶蓋内，刻有相同的銘文“曾侯乙作持終”。方鑒和尊缶的器身均渾鑄而成，附飾、龍耳、獸形足等則爲分鑄後焊接。該鑒缶設計巧妙，鑒與缶間可置冰塊給缶内酒漿降温，形制爲迄今所僅見。

現藏湖北省博物館。

曾侯乙方鑒缶打開圖

曾侯乙尊盤

東周

湖北隨州市擂鼓墩曾侯乙墓出土。

高23.5、口徑58厘米。

尊體呈喇叭口，長頸，圓鼓腹，高圈足。盤也由盤體和各種附件、附飾組成。盤體直口，方唇，短須，淺腹，平底，四獸形足。尊、盤的各種紋飾和附飾非常複雜。其器壁爲内外雙層，内層爲有規則的鏤空網狀結構，外層爲一些分布不規則的銅梗相互勾連，并與口沿上的花紋相連接。頸部飾蕉葉紋和淺浮雕的變體蟠螭紋，并附加四條立體圓雕的龍形裝飾。腹部飾浮雕的變體蟠螭紋，并附加四條雙身蟠龍作裝飾。圈足的上部爲鏤空的蟠螭紋，下部飾簡化的蟠螭紋，軀體内填以浮雕狀的渦雲紋，還附飾四條曲張多姿的雙身龍。盤的口沿爲鏤空的變形蟠虺紋，耳面的透空附件與尊口一樣。腹部爲淺浮雕的簡化蟠螭紋。尊、盤均有銘文，尊頸部刻有“曾侯乙作持用終”，盤底有相同銘文，似改刻而成。曾侯乙尊盤是現已出土的所有青銅器中最精美、最複雜的精品之一。

現藏湖北省博物館。

錯銀雲紋尊

東周

湖北江陵縣望山2號墓出土。

高17、口徑24.5厘米。

尊一對，形狀大小相同，此爲其一。尊上有帶子口的器蓋，蓋平頂、斜面、直壁，頂上有帶環小鈕，蓋面有四個昂首鳳鳥環鈕。器身作上大下小的圓筒狀，平底周邊有三隻矮蹄足，直壁兩側各有一銜環鋪首。蓋頂、蓋面和器壁滿飾銀錯的龍紋和雲紋，蓋沿和器壁下端還各飾一周勾連雲紋。尊内髹以紅漆，當蓋揭開以後内外色彩形成鮮明的對比。

現藏湖北省博物館。

勾連雲紋尊

東周
湖南長沙市硯瓦池出土。
高15.8、口徑21.6厘米。
口罩傘形攢尖頂的蓋，蓋頂中央有鈕套環。器爲上大下小的圓筒形，腹壁兩側對置鋪首，平底下接三隻細蹄足。除蓋、器口沿和器壁近底處外，通體飾淺雕狀的勾連雲紋，蓋面另有弦紋一道。
現藏湖南省博物館。

錯金銀雲龍紋尊

東周
湖北荆門市包山2號墓出土。
高17.5、口徑24.8厘米。
尊上有帶子口的器蓋，蓋直壁、斜面、平頂，平頂如同凸起的圓餅，上有帶環小鈕，蓋面有四個昂首鳳鳥環鈕。器身好似上大下小的淺圓桶狀，器壁兩側各有一銜環鋪首，平底周邊有三隻矮蹄足。通體飾錯金銀的雲龍紋，富麗堂皇。
現藏湖北省博物館。

蟠螭紋斗

東周

湖北枝江市姚家港4號墓出土。

高14.3、柄長10.5厘米。

圓口、弧腹、圜底，後部下腹鑄接圓筒形柄，柄前部隨器腹彎曲，在大致相當于器口的位置外折斜上，其間有單梁相接。柄後端有圓銎，側面有穿，可以插入柄。腹飾蟠螭紋兩周，間以綯索紋，柄前端飾變形獸面紋，後端飾兩道綯索紋。

現藏湖北省宜昌市博物館。

曾侯乙長柄斗

東周

湖北隨州市擂鼓墩曾侯乙墓出土。

柄長35.2、口徑16厘米。

口有凸唇，弧腹較淺，圜底。腹側接圓形長柄，柄前端屈曲如龍首，龍角連器口爲梁。器柄長而直，柄尾有環。斗腹飾勾連龍鳳紋，柄飾勾連雲紋，柄鑲嵌緑松石。柄上有銘文七字，記曾侯乙做器事。

現藏湖北省博物館。

透雕蟠虺紋禁

東周

河南淅川縣下寺2號墓出土。

高28.8、長131、寬67.6厘米。

禁呈帶耳足的扁長方體，除禁上表中央爲單層板面外，禁體周圍由三層粗細不等的銅梗相互套結而成：內層粗直的銅梗構成禁體框架，中層略粗而蟠屈的銅梗作爲花紋的依托，表層細銅梗繞成細密的蟠虺紋。禁身四周攀附頭上尾下、寬角長舌的十二隻怪獸爲耳。禁下在禁耳之間的位置上飾十二隻怪獸爲足。獸耳和獸足外表均飾以浮雕狀的蟠虺紋。構造複雜，工藝精湛，是中國最早采用失蠟法鑄造的銅器之一。

現藏河南省文物考古研究所。

曾侯乙過濾器（右圖）

東周

湖北隨州市擂鼓墩曾侯乙墓出土。

高88.5、杆長70.8厘米。

過濾器由漏斗、長杆、器座構成。漏斗爲三角錐體形狀，斗口爲等邊三角形，其中一角與立于器座的長杆相接，另兩個角頂各伸出一環形鈕，尖底排列着鏤孔。器座爲一蜷曲卧伏的怪獸軀體，怪首頸部向上直伸，好似一長圓杆，獸首銜住漏斗的一角。圓杆上端有銘文“曾侯乙作持”的銘文。這種過濾器爲首見，視其形制特點，應爲濾酒用具。

現藏湖北省博物館。

波曲紋盉

東周

湖北京山縣蘇家壠出土。

高20.5、口徑11.6厘米。

盉爲罐形帶足型。小口斜頸，廣肩圓折，圜底周邊接四隻獸形扁足。長管流從腹部前端斜向伸出，流嘴作帶冠獸首形，凹槽形鋬與流相對，鋬上有雙角獸首。肩飾象鼻龍紋，腹飾波曲紋。造型和紋飾都顯得粗放。

現藏湖北省博物館。

蟠虺紋盉

東周

河南淅川縣下寺1號墓出土。

高26、口徑11.1厘米。

平頂蓋罩在壺身小口外，蓋頂中有半環鈕套環鏈與壺的提梁相連。壺身爲直頸，扁圓形腹，下接三隻獸首矮蹄足。壺肩有浮雕狀雙首龍形提梁，腹前有浮雕狀龍首形流，與流相對一側有浮雕扉棱狀鋬。肩和腹箍以三道凸弦紋，其間飾細密的蟠虺紋。

現藏河南博物院。

鑄客盉

東周
安徽壽縣朱家集出土。
高21.9、寬32.5厘米。
小口，圓鼓腹，獸首形流，三鐵鑄矮足，提梁兩端浮雕獸首。蓋頂飾環鈕，以一銅環與提梁相連。蓋、腹均飾羽翅紋。蓋、器對銘七字“鑄客爲集爲之”。
現藏故宫博物院。

𦧝父匜

東周
湖北枝江市百里洲出土。
高20.2厘米。
該匜的造型爲傳統的四足匜，但在細部裝飾上却有新意。流口上部封閉作浮雕狀的龍首，鋬的造型爲嘴銜器口、尾部上捲的笋角龍，四足也爲形如問號般的龍的造型。器身上部爲蟠螭紋，下部爲横瓦紋。内底有銘文五行，記塞公孫𦧝父自作器事。
現藏湖北省博物館。

蟠虺紋匜

東周

河南淅川縣下寺1號墓出土。

高14.2、長27厘米。

橢圓形體，口部微內收，腹下接平底。前有上翹的獸首管形流，後有捲尾狀環形鋬。龍的首和尾皆有浮雕狀裝飾，腹飾細密蟠虺紋帶兩周。

現藏河南博物院。

曾侯乙匜

東周

湖北隨州市擂鼓墩曾侯乙墓出土。

高15.5、長31.8厘米。

粗短的槽形流略微上翹，後對粗壯的龍形鋬，圜底旁接三隻不高的獸面紋蹄足。上腹飾鑲嵌的勾連雲紋。內底鑄銘七字“曾侯乙作持用終”。此匜三足斜傾，雖不粗壯，但却給人以穩重的感覺。

現藏湖北省博物館。

曾侯乙匜

東周
湖北隨州市擂鼓墩曾侯乙墓出土。
高13.4厘米，口長19.4、寬18.8厘米。
匜呈橢圓形，前有上翹的槽形流，流上有獸面形蓋。匜尾略上翹，後接龍首銜鋬。器身的頸部略收，平底接假圈足。蓋後部飾鳥首龍紋，頸飾嵌錯雲紋，腹飾嵌錯勾連龍鳳紋。內底有“曾侯乙作持用終”的銘文。
現藏湖北省博物館。

蔡侯方鑒

東周
安徽壽縣蔡侯墓出土。
高28.3、口邊長38厘米。
敞口方體，直口方唇，直頸收束，下腹斜收，平底下接外侈的矮圈足。肩兩側外壁環鈕銜環，四壁內側亦嵌鑄一環。口沿、肩部及圈足飾細密的鏤空花紋，餘皆素面嵌紅銅花紋。外頸處有銘一行六字。鑒出土時內置蔡侯方缶，二者應當與曾侯乙鑒缶一樣，本來就是一套。
現藏安徽省博物館。

大府鎬

東周
安徽壽縣朱家集李三孤堆大墓出土。
高25.3、口徑54.2厘米。
器口微斂，圓肩，腹部下收，平底。肩部置四鈕銜環。通體素面，口沿外壁有銘文九字，記大府作器事。
現藏安徽省博物館。

蟠虺紋盤

東周
河南潢川縣高稻場出土。
高9、口徑31.6厘米。
敞口方唇，淺腹平底，腹對置半環鈕，內套大環耳，底接三隻先內曲再外侈的蹄足。盤壁滿飾細密的蟠虺紋。
現藏河南博物院。

蟠螭紋盤

東周
河南淅川縣下寺1號墓出土。
高9、口徑39.7厘米。
敞口方唇，淺腹内收，平底微圜。腹壁四周出環鈕，内套絢索狀大環耳，底接三隻獸面紋的粗矮蹄足，不很協調。腹壁飾蟠螭紋，下以凸起的絢索紋爲邊欄，其下爲三角形垂葉紋。
現藏河南博物院。

曾侯乙盤

東周
湖北隨州市擂鼓墩曾侯乙墓出土。
高12.8、口徑41.6厘米。
直口方唇，淺腹，腹側雙耳外折，底下接三獸爲足，獸爲後足抬起抓撓頭部的鳥首獸身的怪獸。腹飾鳥首獸身怪獸紋和勾連雲紋，耳也飾勾連雲紋。盤内底有銘“曾侯乙作持用終”。
現藏湖北省博物館。

怪獸鼓架

東周

河南淅川縣徐家嶺9號墓出土。

高48厘米。

一套共兩件，出土時兩器頭相背，形制基本相同，其中有一件怪獸的後腿上有一插座，用以插鼓錘。怪獸爲分鑄組合成形，有的組件（如背上小怪獸與口中的龍蛇）還使用插銷固定。主體大怪獸形態爲龍首、虎身、龜足，龍首張口吐舌，頭上有六條小蛇。獸背上有兩插孔，内插座子以支撑其上飛奔的怪獸，獸口還銜一條昂首吐舌的龍蛇。據推測，這兩個怪獸可能是懸鼓用的鼓架。該器造型複雜，結構巧妙，堪稱精品。

現藏河南省文物考古研究所。

臧孫編鐘（上圖）

東周

江蘇六合縣程橋鎮出土。

高15.3–23.4厘米。

同出九件，大小相次，形態相同。都爲合瓦形鐘體，不長的門形鈕，枚作螺旋形。篆、舞、鼓部均飾交龍紋。鉦部鑄銘文，內容基本一致，最完整者三十七字，記臧孫作器事。

現藏南京博物院。

倗子受镈鐘

東周

河南淅川縣和尚嶺2號墓出土。

高35、銑間寬24厘米。

一套共八件，形制相同，大小依次遞減，此爲其中最大一件。鐘體合瓦形，上爲雙龍形鈕，下端平齊。鉦部兩側各有九枚，枚上飾圓渦紋。舞、篆飾變形龍紋，鼓飾蟠螭紋。鐘兩面鑄銘二十七字，記某王十四年，倗子受作鐘事。有的學者從干支上考證，認爲鐘爲楚莊王十四年（公元前600年）所鑄。可備一說。

現藏河南省文物考古研究所。

交龍紋镈

東周
河南固始縣侯古堆出土。
高33厘米。
同出八件，此爲其一。糾結龍形鈕，雙銑下垂，兩面均飾交龍紋，螺旋形枚。鉦部鑄銘四十六字，器主名被刮去。
現藏河南省文物考古研究所。

曾侯乙編鐘

東周

湖北隨州市擂鼓墩曾侯乙墓出土。

正架高265、長748厘米，側架高273、長335厘米。

全套編鐘共六十四件，另有楚惠王贈送給曾侯乙的鎛鐘一件，分三層共八組懸挂在呈曲尺形的銅、木結構的鐘架上，鐘架由六個佩劍武士形銅柱和八件圓柱承托。上層爲三組鈕鐘十九件，中層爲三組甬鐘三十三件，下層爲二組大型甬鐘十二件及楚王酓璋鎛一件。它是中國現已發現的規模最大、數量最多、製作最精、音律最全、音域最廣、音色最好、保存完好的一套先秦編鐘。

現藏湖北省博物館。

曾侯乙編鐘之一

曾侯乙編鐘之二

曾侯乙編鐘之三

曾侯乙編鐘之四

𨚕篙編鐘

東周

河南信陽市長臺關出土。

高30.5、口長17.1厘米（最大一件）。

均爲鈕鐘，一套十三件，最大一件有銘文，該鐘是否與其餘鐘爲一套，仍存疑。鐘體呈合瓦形，上有門形鈕，鐘體上小下大，于部弧度較大。鐘以轄固定在鐘架上，轄的正面爲一獸首。鐘的舞部飾蟠蛇紋，鉦部兩側分三行排列圓渦紋的枚九個，其間的篆部飾綯索紋邊的蟠虺紋。銘文十二字，記𨚕篙救陸渾戎于楚境事。

現藏中國國家博物館。

秦王卑命鐘

東周

湖北枝江市雲臺鎮新華村出土。

高38.5厘米。

鐘屬甬鐘類。甬部較短，上端兩側有凸榫。鐘體呈合瓦形，枚爲兩段式（下圓臺而上圓柱）。鐘內四道調音凹槽。篆部飾綯索紋邊欄的雲雷紋，鼓部飾蟠龍紋。鐘外一側刻“秦王卑命”、“競坪王之定救秦戎”的銘文。鐘體與刻銘的年代可能有差距。

現藏湖北省宜昌市博物館。

交龍紋鐃

東周

湖北荊門市包山2號墓出土。

高27.5、銑間9.5厘米。

總體形態如同身體修長的倒置的甬鐘。較厚的凹弧口，體腔修長如合瓦，舞部中央有圓孔，與透空的直柱形長柄相通，柄端有箍帶一周。鐃體兩面外壁鑄三層對稱雲龍紋，内壁整面飾對稱的雲鳳紋，舞部内外均鑄四分的雲龍紋，柄部飾透空的勾連紋，龍鳳紋均抽象分解，形如蟠螭。此鐃在同墓所出遣册上記爲“一鐃”，埋藏情況又與鼓同在一處，這也正與文獻中關于鐃的形態和用途相符。

現藏湖北省荊門市博物館。

外卒鐸

東周
高11、寬9厘米。
鐸柄很短，方形中空，内有横梁。體如合瓦，較寬短，淺弧形口。舞部飾簡化的獸面紋，具有南方紋樣風格。兩面共有銘文五字，一面刻“外卒鐸”，另一面刻“鐘尹”。
現藏故宫博物院。

虎紋虎鈕錞于

東周
湖南常德市徵集。
高37.3、肩徑22厘米。
錞于截面呈橢圓形，頂端封堵，下端敞開。頂部盤狀平頂中立虎形鈕。上部外鼓，下部垂直。下部外壁飾虎紋和斜角雲紋。
現藏湖南省博物館。

曾侯乙怪獸形編磬座

東周

湖北隨州市擂鼓墩曾侯乙墓出土。

高67厘米。

左右成對，共負磬架。座爲龍蛇首、細長頸、小雙翅、龜鱉足的鳥獸混合的怪獸造型，重心全落在低矮的身軀上，符合鼓座的功能要求。怪獸周身以錯金綫條的蟠螭紋和圓渦紋等作裝飾。吐出的舌上還鑄銘七字。

現藏湖北省博物館。

斑紋鉞

東周

鉞長23.3、通高22.3厘米。

鉞爲戈與鉞的合體，鉞身大部與穿内式戈相同。長胡三穿，欄部下出，鉞身從後向前逐漸加寬，形成不對稱闊刃。器表有銀白色斑紋，這種花紋不是鑄紋或錯嵌而成，而是銅器表面處理工藝的一種。鉞身附有木胎漆鞘，鞘由上下兩塊合成，上繪朱漆三角雲紋。

現藏北京市保利藝術博物館。

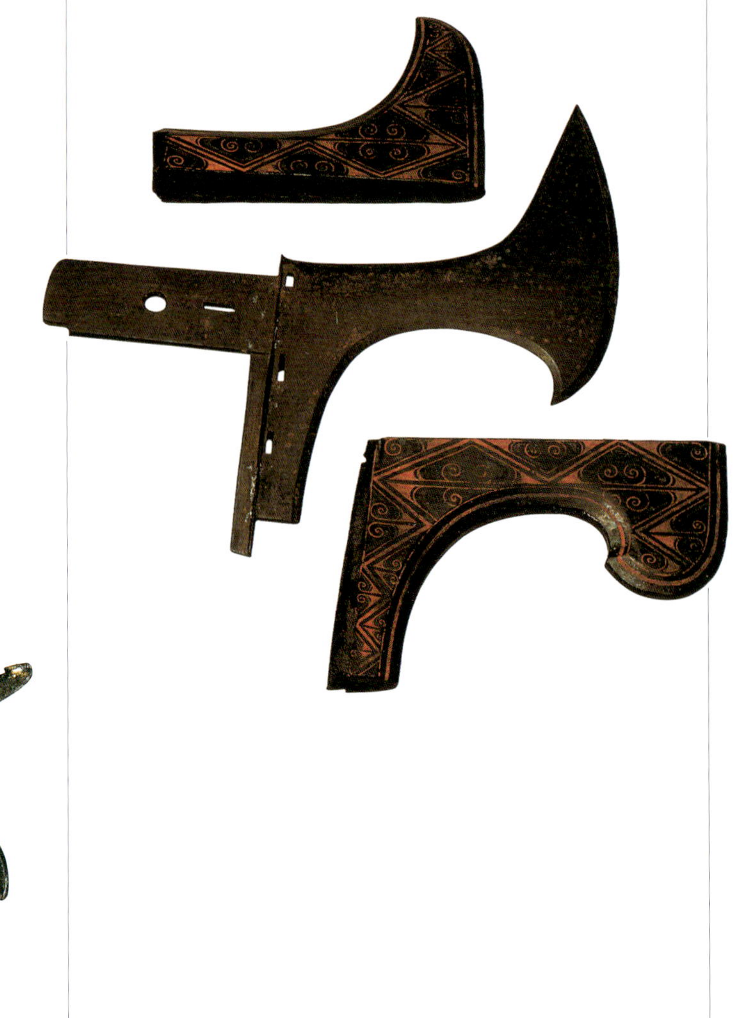

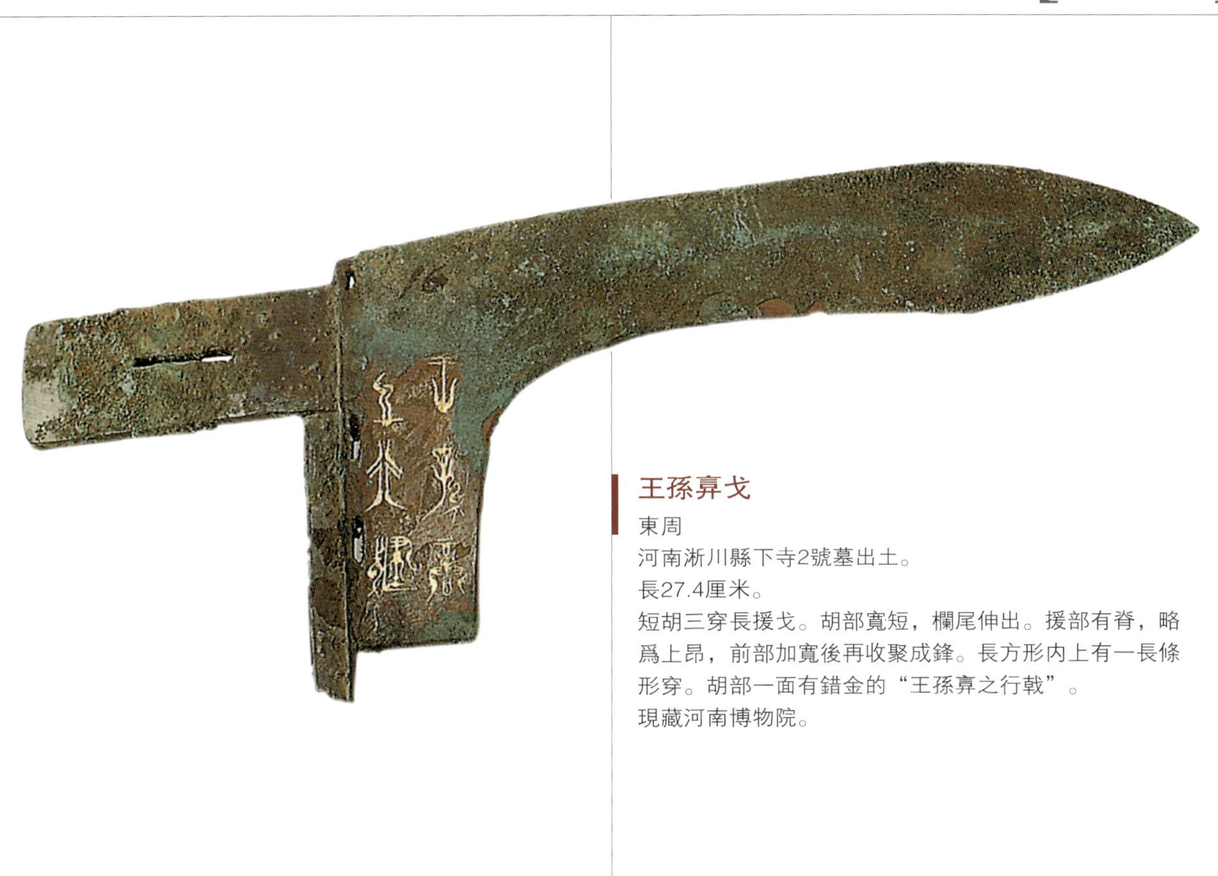

王孫弃戈

東周
河南淅川縣下寺2號墓出土。
長27.4厘米。
短胡三穿長援戈。胡部寬短，欄尾伸出。援部有脊，略爲上昂，前部加寬後再收聚成鋒。長方形内上有一長條形穿。胡部一面有錯金的“王孫弃之行戟”。
現藏河南博物院。

楚王酓璋戈

東周
河南洛陽市出土。
長22.3、寬7.2厘米。
長援直内，援中部起脊，胡部殘。援、胡飾錯金銘文十八字，記楚王酓璋重擊南越，作此戈事。
現藏故宫博物院。

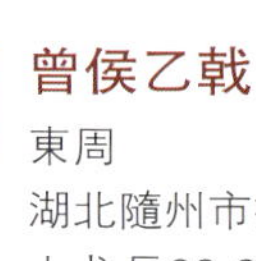

曾侯乙戟

東周

湖北隨州市擂鼓墩曾侯乙墓出土。

上戈長29.9、中戈長18.7、下戈長17.2厘米。

由三件戈頭按上、中、下的順序安裝于髹漆積竹柄上而成。上戈爲全形，中戈和下戈均爲無内戈。三件戈的胡部均鑄鳥篆的“曾侯乙之用戟”銘文。這是一組具有禮儀用途的銅戟，對于認識先秦戟的形態很有啓迪。

現藏湖北省博物館。

鈎内戟

東周

河南南陽市徵集。

長34、寬28厘米。

戟由戈與鈹連鑄而成。戈爲上昂的長援，長胡的刃部有二棘刺，欄端殘，鈎形内下有二棘刺。鈹形如劍，劍脊有兩道血槽，寬厚的格，扁銎上有二孔。鈹的格和銎部飾蟠虺紋和勾連雲紋。

現藏河南省南陽市博物館。

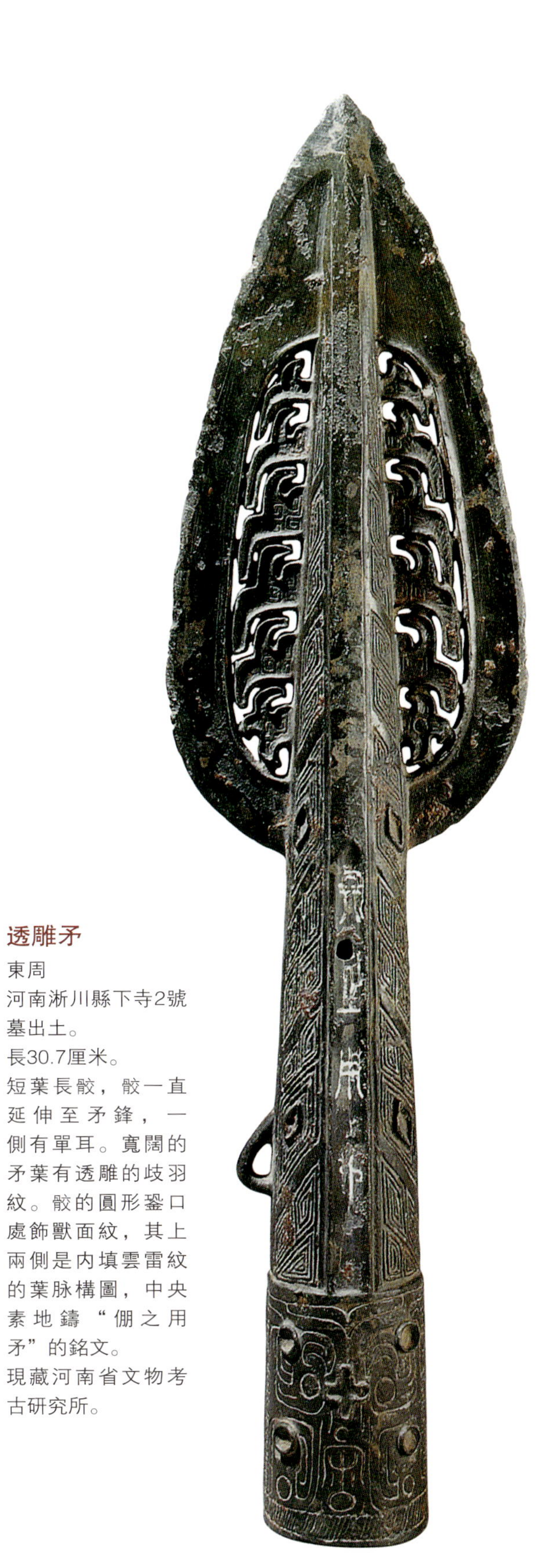

透雕矛

東周
河南淅川縣下寺2號墓出土。
長30.7厘米。
短葉長骹，骹一直延伸至矛鋒，一側有單耳。寬闊的矛葉有透雕的歧羽紋。骹的圓形銎口處飾獸面紋，其上兩側是內填雲雷紋的葉脉構圖，中央素地鑄“倗之用矛”的銘文。
現藏河南省文物考古研究所。

黑斑點紋矛

東周
湖北江陵縣雨臺山264號墓出土。
長28.4厘米。
長葉短骹，矛刃後端折轉內弧，向骹 逐漸過渡。有脊，脊與刃間略凹成血槽。骹部有三組橫向的凹弦紋，矛體除刃部外滿飾由硫化技術製成的黑色斑點。
現藏美國華盛頓賽克勒美術館。

錯金音律銘劍

東周

劍通長52.3、刃寬4.5厘米。

此劍保存完好，不僅劍體反射寒光，劍莖絲質纏緱也都保存。劍格兩側各橫列錯金銘文四字，均與音律名稱有關。劍插于黑漆的木質劍鞘内，又盛放在髹漆繪彩的木劍櫝中。劍櫝由蓋、身和銅足構成，蓋面兩端淺浮雕獸面紋，蓋面漆繪伏羲女媧圖，櫝身繪勾連龍紋。這是十分罕見的劍、鞘、櫝均完好的東周劍具。

現藏北京市保利藝術博物館。

玉首匕

東周

湖北隨州市擂鼓墩曾侯乙墓出土。

長22.3、寬1.8厘米。

該匕爲對稱鋒、雙面刃，身部上短下長，截面呈菱形，長條形柄，柄端龍頭銜圓角橢方玉環爲首，玉環四出，雕雲龍紋。此匕爲刀與匕合一的器物，造型獨特。

現藏湖北省博物館。

錯金音律銘劍櫝

玉首削

東周

湖北隨州市擂鼓墩曾侯乙墓出土。

長28.6、刀身17.4厘米。

削體窄長，弧背薄刃，柄部變窄，柄端龍首嵌緑松石，并銜一橢方玉環。玉環兩面均雕琢細小的對捲雲紋。

現藏湖北省博物館。

曾侯乙鈹形軎

東周

湖北隨州市擂鼓墩曾侯乙墓出土。

左高37、右高41.3厘米。

軎、鈹連體，在普通軎的前端加鑄鈹體，軎兩側有加强筋與鈹的雙刃相接，加强筋與軎後端相交處有二方穿。軎有虎頭轄，鈹有中脊，五連弧雙刃，三角形鋒。器表滿布對稱的捲雲紋。

現藏湖北省博物館。

錯金銀龍形輈首

東周
河南淮陽縣馬鞍塚2號車馬坑出土。
長22.5、最寬處12.2厘米。
輈首分前後兩段，前段爲帶角龍首的造型，後段爲中空的長方形，尾端有銎。龍前額及後頸有長方形穿孔。器表用錯金銀的綫條表示龍首的細節，并有銀錯的“亼”形符號。
現藏河南省文物考古研究所。

王命傳任虎符

東周
長15.9、寬10.7厘米。
符作扁平的卧虎形，昂首，躬背，捲尾。原爲從虎背脊處剖開的兩塊，兩塊造型相同，外側面刻“王命命傳任”的銘文（“任”有人釋爲“賃”）。該虎符是研究楚國驛傳和符節制度的實物資料。
現藏故宫博物院。

鄂君啓節

東周

安徽壽縣邱家花園出土。

車節通長29.6、寬7.3厘米，舟節通長31、寬7.3厘米。

銅節共五枚，分屬舟節和車節兩套，原來每套都應爲五枚，合在一起組成完整的竹筒形。每塊銅節的中部有竹節狀凸起，將其分爲上長下短的兩段，金錯銘文也按兩段排列。舟節每節表面有文字九行一百六十四字，車節每節表面有文字九行一百四十七字。銘文表明，此銅節是楚大司馬昭陽在襄陵打敗晉國軍隊那年即楚懷王六年（公元前323年），大工尹睢根據楚王的命令製作并頒發給鄂君啓進行水、陸貿易運輸的免税憑證。

現藏安徽省博物館。

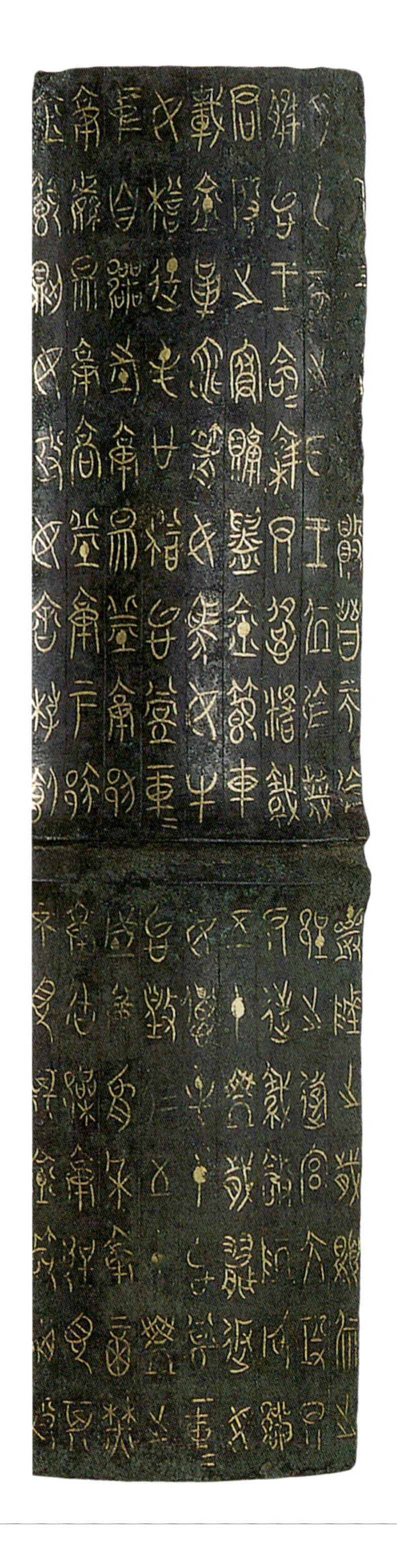

熏

東周
湖北隨州市擂鼓墩曾侯乙墓出土。
高42.8厘米。
造型由蒜頭形的罩和矮圓盤兩部分構成。罩中空，口沿兩側對置環鈕，中部有管，與罩内相通。盤淺腹平底，三蹄足，腹壁兩側亦飾環鈕。
現藏湖北省博物館。

透雕交龍紋圓筒

東周
湖北隨州市擂鼓墩曾侯乙墓出土。
高16.2、上端直徑5、下端直徑8.1厘米。
器呈圓筒形，有寬方唇的一端較粗。口沿與唇面鑲嵌緑松石，器壁透雕九條糾結的龍紋。其功用不明，或許與熏有關。
現藏湖北省博物館。

透雕鳳鳥紋熏

東周

湖北江陵縣望山1號墓出土。

高10.4、口徑8.9、底徑7厘米。

敞口圓筒形，口大于底，平底透空，中有十字梁。器壁鏤空，裝飾八衹糾結的變體鳳鳥紋。

現藏湖北省博物館。

鏤空交龍紋熏

東周

湖北江陵縣雨臺山264號墓出土。

高12.7、口徑8.5厘米。

器爲口部敞開的圓筒形，上大下小，周壁鏤空作十列交龍紋，每列有六隻蟠曲的小龍。底部開十字形鏤孔。

現藏湖北省荊州博物館。

鏤空勾連龍紋熏

東周

湖北荆門市包山2號墓出土。

高15、口徑11.3厘米。

一對兩件，此爲其一。器形如尊，呈上大下小的圓筒形，底邊有三隻外撇的短蹄足，足内側有凸榫，可以托住鏤空的活動器底。腹壁上下邊欄飾勾連雲紋，其間腹壁透雕六組勾連龍紋，龍紋以錯銅和嵌石進行裝飾。器底中央爲一大四小的圓孔，周邊爲透空的捲雲紋。

現藏湖北省博物館。

人擎燈

東周

湖北荆門市包山2號墓出土。

高16.3、口徑8.6厘米。

燈兩件成對，此爲其一。均由燈盤、柱和銅人兩部分組成。燈盤爲弧壁圜底，外壁有兩周凸棱，盤中置錐狀火主。盤下爲上粗下細的圓形燈柱，中有裝飾。銅人髻髹黑漆，右衽深衣，左手捫胸，右手執燈站立在其下的方座上。深衣下擺錯紅銅勾連紋，柱座上鑄四分蟠螭紋。此燈造型渾樸，手法簡潔，却形象生動，是一件拙中見巧的銅器。

現藏湖北省博物館。

騎駝人擎燈（左圖）

東周

湖北江陵縣望山2號墓出土。

高19.2、口徑8.9厘米。

下爲方座，座上立雙峰駱駝，一披髮人騎駝，雙手捧一圓筒，内插燈柱。燈柱分爲三節，頂端托一圓形燈盤，盤中有錐形火主。

現藏湖北省博物館。

曾侯乙箕

東周

湖北隨州市擂鼓墩曾侯乙墓出土。

高5.2、長29厘米。

器仿三角形竹箕而成，惟妙惟肖，不僅竹編紋路全都表現，就連邊框與器體間的竹篾捆扎形狀也都模仿出來。箕口鑄出“曾侯乙永持用終”的銘文。

現藏湖北省博物館。

曾侯乙漏鏟

東周
湖北隨州市擂鼓墩曾侯乙墓出土。
長38.6、口沿寬14.7厘米。
箕形器身，前緣呈三角形，後端有曲杆圓柄。箕底有菱形漏眼，估計是與爐相配的炭鏟。器柄上有“曾侯乙永持用終”的銘文。
現藏湖北省博物館。

雲紋方爐

東周
安徽壽縣朱家集李三孤堆出土。
高12厘米，口長60.2、寬32.8厘米。
長方體。淺腹平底，四矮獸足，足根有小方孔。口四角外張，有方孔與足根之孔對應，長邊腹壁飾鋪首銜環，套接提鏈。腹飾以雲紋襯地的羽翅紋。
現藏安徽省博物館。

三龍紋鏤空鈕鏡

東周
湖南長沙市子彈庫15號墓出土。
直徑16.5厘米。
半球形鈕，鏤空圓鈕座，鏡緣面微凹。抽象蔓枝狀三龍紋，其間以心形花葉相分隔，其外以雲雷紋襯地。鏡鈕鏤空，非常少見。
現藏湖南省博物館。

透空龍鳳紋鏡

東周
湖北江陵縣張家山201號楚墓出土。
直徑20.5厘米。
鏡面平整，嵌套于較大的鏡背中。鏡背中有拱形小鈕和花蒂形鈕座，外緣不很寬，鈕座與鏡緣間有飾以羽地等紋飾和乳釘紋的圈帶將紋區分爲内外兩區，内區飾透空大小龍鳳紋各四對，外區飾透空的雙綫交叉雲紋。
現藏中國國家博物館。

四山紋鏡

東周
湖南常德市德山出土。
直徑18.8厘米。
四弦鈕，圓鈕座，鏡緣面微凹。由鈕座伸出四條放射狀的連莖花蒂，將鏡背區分爲四區，每區以羽狀紋襯地，飾一右旋的山字主紋。
現藏湖南省博物館。

透雕四鳥紋方鏡

東周
邊長8厘米。
透空的鏡背和略小的鏡面分别鑄成，然後嵌套在一起。鏡背半環形鈕，蒂形鈕座，座兩側伸出二飄帶，四隻飛鳥伸爪抓住飄帶。鏡緣邊框寬平，與飛鳥和飄帶相連。鳥鑄出羽毛紋，邊框飾勾連雲紋。
現藏日本私人處。

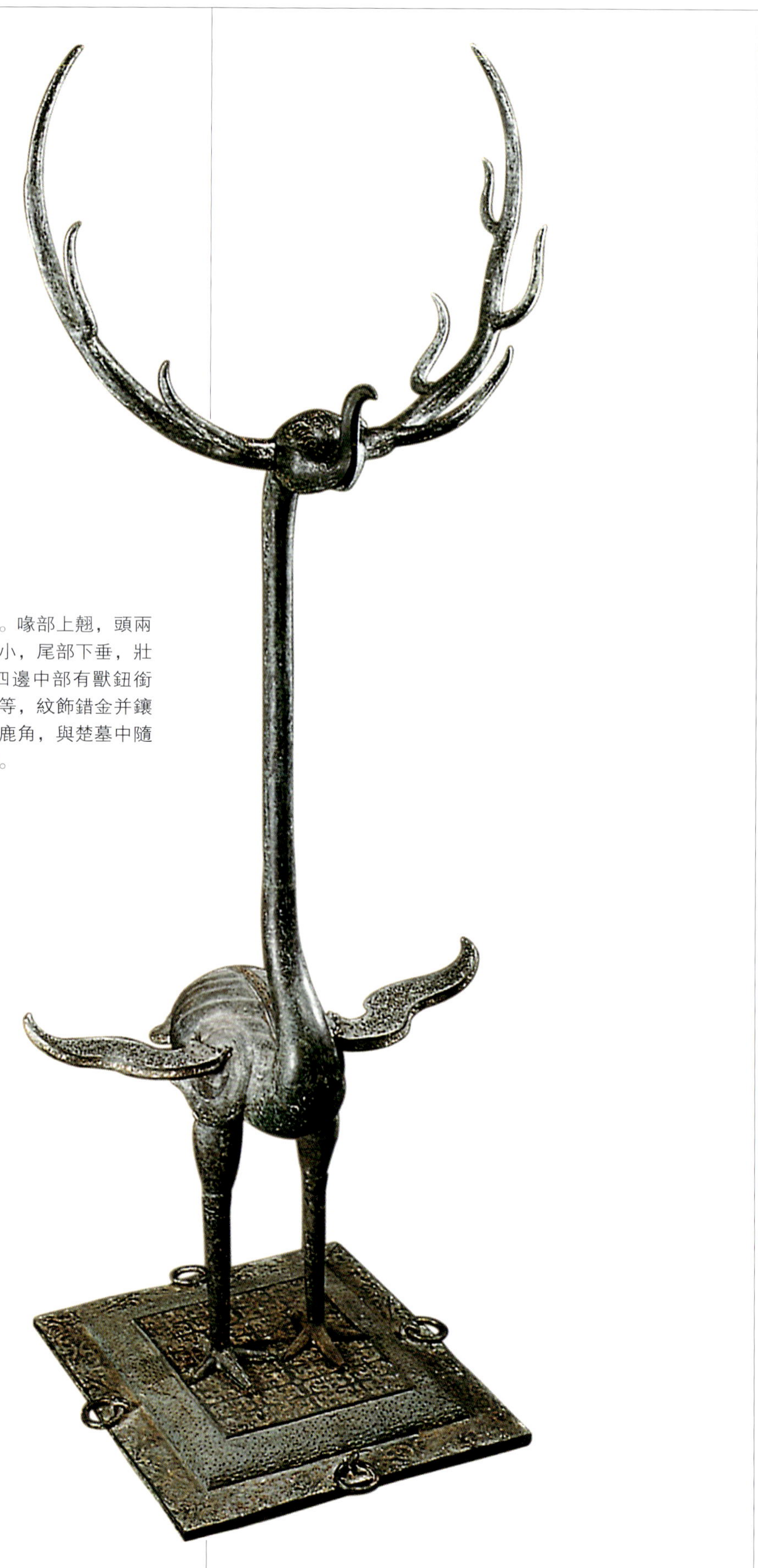

曾侯乙鹿角立鶴

東周

湖北隨州市擂鼓墩曾侯乙墓出土。

高143.5厘米。

立鶴爲分鑄，然後以子母口榫接而成。喙部上翹，頭兩側帶鹿角，頸部細長，伸展的雙翅短小，尾部下垂，壯粗的雙足立于方形底板之上，底板四邊中部有獸鈕銜環。全器飾渦雲紋、三角紋和龍鳳紋等，紋飾錯金并鑲嵌緑松石。此鶴帶有真實鳥類没有的鹿角，與楚墓中隨葬的鹿角鎮墓獸相似，當爲宗教用品。

現藏湖北省博物館。

飛鳥器（右圖）

東周

湖北荊門市包山2號墓出土。

高21.4厘米。

下有圓形座，座上立細長的圓柱，柱上托一展翅翱翔的飛鳥。飛鳥爲長喙，雙翅有節且翼尖前勾，尾巴長而寬扁。

現藏湖北省博物館。

攫蛇飛鷹

東周

安徽壽縣朱家集李三孤堆出土。

高17、鷹身長24.7厘米。

在一長方形平板的器座上，站立着一隻展翅欲飛的雄鷹，鷹的雙爪抓着一條雙尾蛇。鷹的造型已經不如戰國中期，反映了末期楚國的銅器工藝水平。

現藏安徽省博物館。

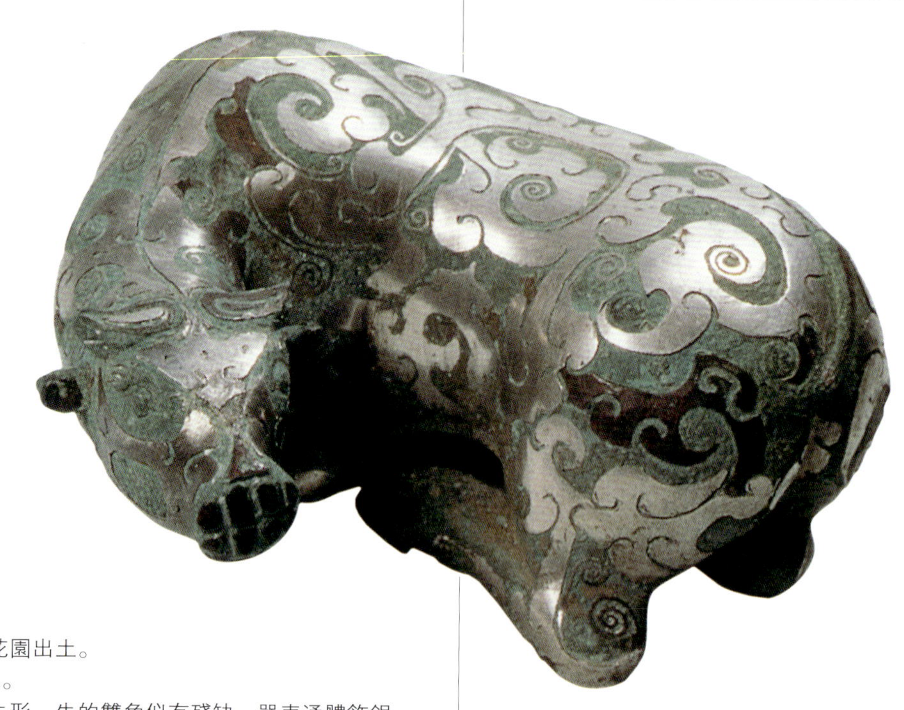

大府卧牛

東周
安徽壽縣邱家花園出土。
高5、長10厘米。
造型作回首卧牛形，牛的雙角似有殘缺。器表通體飾銀錯的雲氣紋。腹下有“大府之器”的銘文。此器用途不明，從體量看，不排除作爲銅鎮的可能。
現藏中國國家博物館。

蟠螭紋箍頭

東周
江蘇淮陰市高莊出土。
高23.5、長31.5厘米。
這是小型仿木結構建築帷帳的柱子、櫨斗、横枋連接處的加固和裝飾構件。上部爲承插圓柱，下爲長方形座，兩端底面作鋸齒形，兩側各有一圓穿。器表滿飾蟠螭紋和蟠虺紋。
現藏江蘇省淮陰市博物館。